Hernandes Dias Lopes

TITO E FILEMOM
Doutrina e Vida, um binômio inseparável

© 2009 Hernandes Dias Lopes

Revisão
Roselene Sant'Anna
João Guimarães

Adaptação de capa
Patrícia Caycedo

Diagramação
Sandra Oliveira

Editor
Aldo Menezes

1ª edição: abril de 2009
10ª reimpressão – janeiro de 2021

Coordenador de produção
Mauro W. Terrengui

Impressão e acabamento
Imprensa da Fé

Todos os direitos desta edição reservados para:
Editora Hagnos
Av. Jacinto Júlio, 27
04815-160 - São Paulo - SP - Tel (11)5668-5668
hagnos@hagnos.com.br - www.hagnos.com.br

Dados Internacionais de Catalogação na Publicação (CIP)
(Câmara Brasileira do Livro, SP, Brasil)

Lopes, Hernandes Dias
Tito e Filemom: doutrina e vida, um binômio inseparável / Hernandes Dias Lopes.
– São Paulo, Hagnos, 2009. (Comentários Expositivos Hagnos)

Bibliografia
ISBN 978-85-7742-051-3

1. Bíblia. N. T. - Crítica e interpretação I. Título

09-01025   CDD 225.6

Índices para catálogo sistemático:
1. Novo Testamento: Interpretação e crítica   225.6

Editora associada à:

Dedicatória

Dedico este livro ao presbítero Jerci Pereira e à sua amada esposa Elça Lobato Pereira, amigos preciosos, irmãos valorosos, companheiros de luta, servos do Altíssimo, bênçãos de Deus na vida da igreja, bem como em minha vida, família e ministério.

Sumário

Prefácio   7

TITO

1. Uma introdução à carta de Paulo a Tito   11

2. A supremacia da Palavra no ministério apostólico   31
   (Tt 1.1-4)

3. Como distinguir os pastores dos lobos   47
   (Tt 1.5-16)

4. Como aplicar a doutrina na vida familiar   69
   (Tt 2.1-10)

5. A graça de Deus, o fundamento de uma vida santa   89
   (Tt 2.11-15)

6. Relacionamentos que glorificam a Deus   105
   (Tt 3.1-15)

FILEMOM

1. Uma introdução à carta a Filemom   125

2. Vidas transformadas, relacionamentos restaurados   143
   (Fm 1-25)

Prefácio

As cartas de Paulo a Tito e Filemom são gemas valiosíssimas que enriquecem o conteúdo da verdade revelada de Deus. São cartas inspiradas pelo Espírito Santo, cuja mensagem é atual, oportuna e absolutamente indispensável para a igreja contemporânea.

Tito associa de forma magnífica a doutrina ao dever; a teologia à vida. O dever decorre da doutrina; a vida é resultado da teologia. Desprezar a doutrina é cair no abismo de uma vida desregrada. Abandonar a teologia é se enveredar pelos atalhos sinuosos da heresia e cair no abismo da devassidão moral.

A igreja contemporânea, influenciada pelo secularismo, está criando uma aversão pela doutrina. Os arautos da ignorância, do alto de sua pretensa sapiência, dizem tolamente que a doutrina divide e por isso devemos substituí-la por uma mensagem mais amigável e palatável. Assim, as igrejas são induzidas a olhar a doutrina como um corolário de coisas velhas que cheiram a mofo e trazem desconforto aos ouvidos mais sensíveis.

Muitas igrejas já abandonaram o estudo sistemático da Palavra de Deus para abraçar as últimas novidades do mercado da fé. Substituíram as Escrituras pelos atrativos engendrados no laboratório do pragmatismo. Essas igrejas crescem em número, mas não em vida. Elas têm extensão, mas não profundidade. Têm influência política, mas não poder espiritual. As igrejas que capitulam a essa sedução pregam sobre a prosperidade, e não a respeito do novo nascimento. Falam de milagres, e não de arrependimento. Oferecem ao povo o que ele quer e não o que ele precisa. Pregam outro evangelho, e não o evangelho de Cristo.

Paulo combate, de igual forma, aqueles que desvinculam a doutrina da vida. Não basta ser ortodoxo, é preciso ser ortoprático. Não é suficiente ter luz na cabeça, é preciso ter fogo no coração. O conhecimento sem vida é inócuo. Uma ortodoxia morta é tão letal quanto qualquer heresia.

Há muitos pregadores que têm fome de livro, mas não têm fome de Deus. Conhecem muito a respeito de Deus, mas não têm intimidade com Deus. Percorrem com grande desenvoltura os corredores do saber, mas vivem tropeçando na hora de colocar esse conhecimento em prática.

A carta de Paulo a Tito é absolutamente atual. Seu conteúdo deve ser trovejado dos púlpitos, nas cátedras e na imprensa. Devemos rejeitar peremptoriamente toda sorte de heresia, assim como devemos combater qualquer separação entre a doutrina e o dever.

A igreja evangélica brasileira precisa desesperadamente voltar às Escrituras. Precisamos de púlpitos comprometidos com o evangelho. Precisamos de igrejas bíblicas. Precisamos de pregadores que gotejem a sã doutrina sobre o povo e alimentem o povo com o Pão do céu. Não há outro caminho para a igreja brasileira senão uma nova reforma religiosa. Precisamos de um reavivamento genuíno que coloque a igreja de volta nos trilhos!

A carta a Filemom é a menor e a última carta de Paulo no Cânon. É uma das joias mais belas de toda a literatura universal. É um manual de relacionamento humano. É um estandarte tremulante que proclama de forma eloquente o poder e a eficácia do evangelho. Não há casos perdidos para Deus. Não há vidas irrecuperáveis para Deus. Não há instrumento tão poderoso quanto o evangelho para transformar vidas, famílias e a própria sociedade.

Leia este comentário com o coração aberto e a alma sedenta. Leia-o com a Bíblia nas mãos e rogando ao Espírito de Deus que ilumine sua mente!

Hernandes Dias Lopes

TITO

Capítulo 1

Uma introdução à carta de Paulo a Tito

Essa é uma das cartas pastorais escritas pelo apóstolo Paulo. É a mais breve delas. As cartas pastorais são orientações práticas do veterano apóstolo aos seus filhos na fé, Timóteo e Tito, ensinando-lhes a maneira certa de agirem à frente da igreja de Deus, como representantes do apóstolo e pastores do rebanho. Quanto à epístola de Paulo a Tito, John Stott está correto quando diz que a ênfase dessa carta é a doutrina e o dever nas três esferas que atuamos: a igreja, a família e o mundo.[1] John Stott ainda diz que nesses três estágios de instrução é vital preservar a descontinuidade entre Paulo, de um lado, e Timóteo, Tito, os pastores e as igrejas, de outro.

> A verdadeira sucessão apostólica é uma continuidade não de autoridade, mas de doutrina, isto é, o ensino dos apóstolos sendo passado de geração a geração. E o que faz que essa sucessão doutrinária seja possível é que o ensino dos apóstolos foi escrito e deixado para nós no Novo Testamento.[2]

João Calvino faz uma importante e esclarecedora distinção entre os apóstolos e seus sucessores, quando diz que os primeiros eram fiéis e genuínos autores iluminados pelo Espírito Santo, e seus escritos devem ser, portanto, considerados oráculos de Deus; mas a única função dos demais é ensinar o que foi fornecido e selado nas Escrituras Sagradas.[3]

William Hendriksen diz que o termo "cartas pastorais" usado para referir-se a essas cartas endereçadas a Timóteo e Tito data da primeira parte do século 18. Entende ainda o erudito escritor que o termo "pastorais" não é adequado, uma vez que Timóteo e Tito não eram pastores de igrejas locais, mas encarregados do apóstolo Paulo para missões especiais nas igrejas.[4]

Essas cartas são absolutamente oportunas e contemporâneas. Elas são totalmente necessárias ainda hoje e isso por várias razões:

Em primeiro lugar, *porque a classe pastoral está em crise*. Há muitos pastores perdidos e confusos no ministério. Alguns estão cansados da obra e na obra (Gl 6.9), enquanto outros vivem na indolência sem se afadigar na Palavra (1Tm 5.17), sem vigiar o rebanho dos aleivosos perigos (At 20.29,30), sem apascentar com conhecimento e inteligência o povo de Deus (Jr 3.15). Em livro anterior, citei uma pesquisa feita, em nosso país, em que se constatou que as três classes mais desacreditadas da nação são os políticos, a polícia e os pastores. A crise espiritual da igreja reflete a crise espiritual de seus líderes. A igreja é um reflexo de sua liderança. Se a vida do líder é a vida da sua liderança, os pecados do líder são os mestres do pecado.

John Maxwell, um dos mais ilustres paladinos da liderança cristã, diz que liderança é, sobretudo, influência. Um líder nunca é neutro. Ele influencia sempre para o bem ou para o mal.

Em segundo lugar, *porque muitas igrejas estão em crise*. As cartas pastorais trazem princípios práticos que orientam a igreja acerca do modo correto de proceder diante dos perigos externos e dos conflitos interiores. Muitas igrejas são assediadas por falsos mestres e assaltadas por falsas doutrinas. Outras têm suas energias drenadas em intérminos conflitos internos, que tiram o foco da igreja de sua verdadeira missão, que é adorar a Deus e fazer a sua obra.

A igreja evangélica brasileira cresce espantosamente. Esse fenômeno tem sido estudado pelos grandes especialistas de crescimento de igreja. Porém, a igreja tem extensão, mas não profundidade. Tem número, mas não credibilidade. Tem desempenho, mas não piedade. Cresce vertiginosamente o número de igrejas que abandonaram a sã doutrina e abraçaram o pragmatismo com o propósito de crescer numericamente.

Muitas igrejas parecem mais um supermercado que disponibilizam seus produtos ao gosto da freguesia. Pregam o que o povo quer ouvir, e não o que precisa ouvir. Falam para entreter, e não para levar ao arrependimento. Pregam palavras de homens, e não a Palavra de Deus.

Em terceiro lugar, *porque há nas igrejas um descompasso entre teologia e vida*. A igreja de Deus precisa ser zelosa da doutrina e também da vida. Paulo escreveu a Timóteo, dizendo: "Tem cuidado de ti mesmo e da doutrina..." (1Tm 4.16). A igreja de Éfeso era zelosa da doutrina e descuidada no amor (Ap 2.2-4). A igreja de Tiatira era zelosa quanto ao amor, mas desatenta quanto à doutrina (Ap 2.18-20). As duas igrejas foram solenemente exortadas e repreendidas por Cristo. Precisamos subscrever a ortodoxia sem deixar de lado a ortopraxia. Precisamos de teologia boa e de vida santa.

A carta a Tito enfatiza tanto a sã doutrina (2.1) quanto a prática da piedade (1.1) e das boas obras (2.14; 3.14). John Stott alerta para o fato de estarmos vivendo sob a avassaladora influência da pós-modernidade, com seu subjetivismo e pluralismo, em que as pessoas têm aversão pela verdade e rejeitam peremptoriamente a concepção e até mesmo a possibilidade de existir verdade absoluta. Nesse contexto de relativismo doutrinário e moral, é maravilhoso entender que Paulo ordena a Timóteo e a Tito nada menos que dez vezes para ensinar às igrejas a sã doutrina, ou seja, a verdade absoluta (1Tm 3.4; 4.6,11,15; 5.7,21; 6.2,17; Tt 2.15; 3.8).[5]

Em quarto lugar, *porque as heresias sempre se vestem de nova roupagem para se infiltrar na igreja*. As igrejas do primeiro século já estavam ameaçadas desde o seu nascimento pelo fermento da heresia. Os cristãos egressos do paganismo eram tentados a voltar a ele ou ter sua fé contaminada por ensinos enganosos, disseminados pelos falsos mestres itinerantes. Ainda hoje, há muitas heresias no mercado da fé. Muitas delas com sabor de alimento saudável e nutritivo, mas não passam de comida venenosa e mortífera. Essas heresias estão presentes nos seminários, nos púlpitos, nos livros, nas músicas. Uma heresia é uma negação da verdade ou uma distorção dela. Precisamos nos acautelar!

Em quinto lugar, *porque a maneira errada de lidar com as pessoas dentro da igreja é a causa de muitas feridas*. A carta de Paulo a Tito é um verdadeiro manual de relacionamento humano. Mostra como os líderes devem lidar com as pessoas mais jovens, mais velhas e as pessoas da sua idade. A liderança da igreja precisa ser firme na sã doutrina, zelosa na disciplina, mas sensível com as pessoas. Se não vivermos em harmonia internamente, não teremos autoridade para pregar a Palavra externamente.

Dito isto, vamos considerar alguns aspectos introdutórios dessa preciosa carta de Paulo a Tito.

O remetente da carta

É consenso universal que o autor dessa carta a Tito é o apóstolo Paulo. As evidências são tanto internas quanto externas. Os pais da igreja, como Clemente de Roma, Inácio de Antioquia e Policarpo, os reformadores e todos os fiéis expositores da Palavra deram apoio unânime à autoria paulina.

O *Cânon muratório*, que lista os livros do Novo Testamento, atribui os três livros a Paulo. A única exceção a esse testemunho positivo nos primeiros séculos ocorre com Marcion, que foi excomungado como herege em 144 d.C., em Roma, devido ao fato de ter rejeitado a maior parte do Antigo Testamento e as referências veterotestamentárias feitas no Novo Testamento.[6]

Foi apenas no século 19 que a escola liberal lançou dúvidas sobre esse fato até então incontroverso. Os representantes desse liberalismo do século 19, como Friedrich Schleirmacher, rejeitaram 1Timóteo, em 1807, e F. C. Baur rejeitou as três cartas pastorais, em 1835.[7] As críticas levantadas contra a autoria paulina das Epístolas Pastorais, com respeito aos aspectos históricos, linguísticos, teológicos e éticos, entrementes, são frágeis e não oferecem provas suficientes para permanecerem em pé.[8]

O destinatário da carta

Essa carta foi enviada a Tito e às igrejas dos cretenses. João Calvino é da opinião que essa epístola foi tanto uma missiva individual de Paulo a Tito, quanto uma epístola aos cretenses.[9] Charles Erdman diz que, embora essa carta seja pastoral, não é puramente pessoal, mas uma missiva oficial dirigida a um representante do apóstolo, com o fim de fazer chegar por meio dele uma mensagem a toda a igreja.[10]

O livro de Atos não faz nenhuma menção a Tito. Timóteo, entretanto, tem papel proeminente no livro de Atos, assim como em todas as cartas de Paulo, exceto Gálatas, Efésios e Tito. Porém, Tito é mencionado uma vez em Gálatas, nove vezes em 2Coríntios, uma vez em 2Timóteo e novamente na carta que leva o seu nome. Tito esteve com Paulo em Jerusalém, Éfeso, Macedônia, Creta, Nicópolis e Roma.

Quem foi Tito?

Em primeiro lugar, *Tito foi um gentio convertido a Cristo*. Enquanto Timóteo tinha pai grego e mãe judia, Tito era filho de pais gregos (Gl 2.3). Converteu-se a Cristo pelo ministério de Paulo (1.4). Saiu das fileiras do paganismo para abraçar a fé cristã.

Não sabemos ao certo a naturalidade de Tito. Possivelmente residia em Antioquia da Síria, onde Barnabé e Saulo ensinaram a Palavra de Deus.[11] É muito provável que sua conversão tenha se dado nesse tempo, pois somos informados de que quando Paulo subiu de Antioquia a Jerusalém, depois da sua primeira viagem missionária, levou consigo a Tito (Gl 2.3). Essa é a primeira vez que Tito aparece na história sagrada.[12] Albert Barnes, por sua vez, acredita que Tito vivia em alguma parte da Ásia Menor. Sua suposição se fundamenta no fato de que Paulo trabalhou intensamente nessa região e ali muitas pessoas se converteram à fé cristã.[13]

Em segundo lugar, *Tito não foi circuncidado como Timóteo* (Gl 2.1-4). Tito foi com Paulo a Jerusalém quando do concílio convocado pelos apóstolos e presbíteros para resolver a questão da aceitação dos gentios na comunidade da fé cristã (At 15.1-35; Gl 2.1-3). Os judaizantes queriam acrescentar à fé em Cristo a necessidade imperativa de os gentios serem circuncidados para serem salvos (At 15.5).

Paulo e Barnabé, depois da primeira viagem missionária, dirigem-se a Jerusalém, levando consigo Tito como um eloquente exemplo de um gentio salvo que não havia sido circuncidado.

Carl Spain afirma que Tito teve uma posição significativa nessa controvérsia; de fato, ele parece ter sido a prova número 1 na causa de Paulo contra aqueles que faziam da circuncisão um teste de fraternidade.[14] Charles Erdman afirma de modo correto que o nome de Tito está inseparavelmente vinculado "à Carta Magna da Liberdade Cristã".[15]

William Hendriksen, na mesma linha de pensamento, afirma que a importância dessa vitória para a liberdade cristã e para o progresso do cristianismo dificilmente poderá ser superestimada.[16] Àqueles que questionam por que Paulo circuncidou Timóteo (At 16.3) e resistiu fortemente à circuncisão de Tito (Gl 2.3-5), respondemos que o primeiro foi circuncidado por uma questão de estratégia missionária; o segundo não foi circuncidado por uma questão de integridade teológica.

Hans Burki diz que o caso de Timóteo era uma questão de prática missionária (1Co 9.20); no caso de Tito estava em jogo uma controvérsia doutrinária fundamental sobre aquilo que é necessário à salvação e o que não é.[17]

Em terceiro lugar, *Tito foi encarregado por Paulo para levar à igreja de Corinto sua carta dolorosa*. Paulo passou dezoito meses em Corinto, quando fundou uma igreja naquela cidade. Corinto era uma cidade moralmente pervertida. Ali ficava o templo de Afrodite com centenas de prostitutas cultuais. A igreja de Corinto tinha muitos problemas, como divisão, imoralidade, contendas, e muita confusão teológica acerca do casamento, da liberdade cristã, da Ceia do Senhor, do culto, dos dons e da ressurreição dos mortos.

Paulo escreveu àquela igreja uma carta que se perdeu (1Co 5.9). Depois, enviou-lhes a missiva que conhecemos como a primeira epístola canônica. Essa carta não produziu os resultados esperados por Paulo, especialmente na questão da disciplina do membro faltoso que mantivera relação sexual com a mulher do próprio pai (1Co 5.1-7). Paulo, então, fez uma visita à igreja, mas a situação tornou-se ainda mais hostil (2Co 2.1-4). Paulo deixou a cidade e escreveu de Éfeso uma carta pesada e dolorosa e a enviou à igreja por intermédio de Tito. Este não foi apenas o portador da carta, mas também o instrumento de Deus para resolver o problema da disciplina do membro faltoso, restabelecendo a ordem e a pureza da igreja (2Co 2.12).

Paulo saiu de Corinto, mas a igreja de Corinto não saiu do coração de Paulo. Mesmo tendo Deus aberto uma porta para a pregação do evangelho em Trôade, o apóstolo não permaneceu na cidade e partiu para a Macedônia, tamanha era sua ansiedade de estar com Tito e receber notícias da igreja de Corinto (2Co 2.12,13).

Paulo não teve alívio em seu coração enquanto não se encontrou com Tito na Macedônia para saber as notícias da igreja de Corinto (2Co 7.5,6). Os resultados da visita de Tito e da dolorosa carta de Paulo à igreja surtiram um efeito grandioso, pois os crentes de Corinto corrigiram o faltoso (2Co 2.5-11) e reafirmaram seu amor por Paulo (2Co 7.6,7), seu pai espiritual (1Co 4.15).

Em quarto lugar, *Tito foi encarregado por Paulo para levar à igreja de Corinto a segunda carta e completar entre os crentes a graça da contribuição* (2Co 8.6). Paulo tinha assumido um compromisso com Tiago, Pedro e João de que em seu trabalho missionário entre os gentios não se esqueceria dos pobres (Gl 2.10).

A igreja de Corinto dera sinais otimistas de que abraçaria, com fervor, o projeto de levantamento de ofertas para os crentes pobres da Judeia (1Co 16.1; 2Co 8.6,7). Porém, com a saída de Paulo de Corinto, embora a igreja tivesse alcançado progresso em outras áreas espirituais, estava muito acomodada nesse campo de contribuição (2Co 8.7). Foi então que Paulo enviou Tito, agora da Macedônia, novamente à igreja, para que eles passassem do estágio do desejo da contribuição para a prática efetiva (2Co 8.6,7,10,11).

Em quinto lugar, *Tito é companheiro e cooperador de Paulo, homem digno de honra na igreja de Deus* (2Co 8.23,24). Tito não é apenas filho na fé do apóstolo Paulo, mas também seu companheiro e cooperador. Está sempre obedecendo as ordens do apóstolo, no sentido de cooperar com ele no trabalho do ministério em várias igrejas. Era um homem pronto e sempre disposto a fazer a obra de Deus, onde quer que o apóstolo o enviasse.

Diferentemente de Timóteo que era jovem, tímido e doente, Tito revela-se um varão determinado, emocionalmente granítico, capaz de sanar grandes problemas e conflitos nas igrejas mais difíceis. Paulo diz à igreja de Corinto que obreiros desse estofo devem ser merecedores da mais alta consideração e amor da igreja (2Co 8.23,24).

Em sexto lugar, *Tito, um homem de iniciativa* (2Co 8.16,17). Tito demonstrou amor pela igreja de Corinto a ponto de não apenas ir aos coríntios atendendo ao apelo de Paulo, mas de ir a Corinto voluntariamente. Ele tinha iniciativa própria e disposição de enfrentar grandes desafios no ministério. Tito era proativo e tinha coração de pastor e têmpera de aço para lidar com as tensões da vida pastoral. O ministério de Tito em Corinto foi tão marcante que Paulo o menciona nove vezes em sua segunda carta.

Em sétimo lugar *Tito, era um homem íntegro financeiramente* (2Co 12.17,18). Paulo dá seu testemunho à igreja de Corinto dizendo que, durante os dezoito meses que passou na cidade, jamais os explorou financeiramente. De igual forma, seu filho, cooperador e companheiro Tito não os explorou, uma vez que andou no mesmo espírito e nas mesmas pisadas de seu pai espiritual.

Em oitavo lugar *Tito, era o encarregado de Paulo para corrigir os problemas nas igrejas da ilha de Creta* (1.5). A primeira vez que vemos Paulo em Creta é durante sua turbulenta viagem a Roma (At 27.6-8). Possivelmente durante esse breve período que esteve na ilha ele não teve tempo suficiente para resolver os problemas existentes nas igrejas. Sendo assim, a melhor conclusão é que Paulo esteve nessa ilha na companhia de Tito no intervalo entre suas duas prisões em Roma.

Uma vez que os novos convertidos eram egressos do paganismo, a igreja nascente estava enfrentando muitas dificuldades, tanto externas quanto internas. João Calvino diz que, depois da partida de Paulo, Satanás se esforçou não só para derrotar o governo da igreja, mas também para corromper sua doutrina.[18]

Como Paulo era apóstolo aos gentios e não apenas de uma região, deixou Tito em Creta para colocar as coisas em ordem nas igrejas e constituir presbíteros nessas igrejas das várias cidades da ilha (1.5). Tito ainda ajudou Paulo em Nicópolis (3.12), situada na costa oriental do mar Jônico.

Em nono lugar, *Tito esteve com Paulo em Roma, em sua última prisão* (2Tm 4.10). Na última menção que temos de Tito na Bíblia, ele está indo de Roma à Dalmácia (2Tm 4.10). Embora o texto não seja explícito, Tito deve ter ido à Dalmácia por ordem do próprio apóstolo Paulo. Nesse tempo o apóstolo já havia sido capturado e estava novamente preso, não mais com liberdade condicional, mas numa masmorra romana, sabendo que a hora da sua partida havia chegado (2Tm 4.6-8).

Nesse tempo o imperador era Nero, o monstro que assassinou o irmão, a mãe, a esposa Otávia e o tutor Sêneca, além de muitos outros. Quando pôs fogo na cidade de Roma, no ano 64, o povo o acusou de ser o autor do incêndio. Contudo, ele tratou de desviar a atenção de si e culpou os cristãos pela façanha. O banho de sangue que se seguiu foi terrível.

Paulo foi decapitado na Via Óstia, quase cinco quilômetros fora da capital, por volta do ano 67 d.C. Não sabemos se Timóteo e Marcos chegaram a Roma antes da morte do apóstolo.[19]

A data em que a carta foi escrita

Embora sua posição no Novo Testamento seja depois de 2Timóteo, sua posição cronológica é, provavelmente, entre as duas cartas de Timóteo. Temos certeza de que Tito precede 2Timóteo, porque o apóstolo ainda era homem livre quando escreveu essa epístola sobre o estudo. Mas se Tito precede ou sucede a 1Timóteo, é difícil dizer.[20] É fato incontroverso, porém, que Paulo escreveu essa carta no intervalo entre suas prisões em Roma.[21]

O livro de Atos termina dizendo que Paulo havia sido autorizado a alugar uma casa onde cumpria prisão domiciliar, junto à guarda pretoriana, em Roma. Essa prisão durou dois anos (At 28.30). Colocado em liberdade, Paulo visitou a igreja de Éfeso, onde deixou Timóteo incumbido de supervisionar as igrejas da Ásia Menor, seguindo em direção à Macedônia. Após alcançar o norte da Grécia, possivelmente escreveu sua primeira carta a Timóteo (1Tm 1.3). Quando chegou à ilha de Creta, lá deixou Tito para encorajar e orientar a liderança dos cristãos cretenses (1.5), partindo em seguida para Acaia, região sul da Grécia (3.12).

Na Macedônia, pouco antes de chegar a Nicópolis, Paulo possivelmente decidiu escrever essa carta de encorajamento a Tito. Quando, finalmente, alcançou Trôade (2Tm 4.13), é provável que tenha sido inesperadamente preso e novamente levado a Roma, jogado num frio e isolado calabouço e, pouco tempo mais tarde, logo após ter escrito sua segunda carta a Timóteo, terminou decapitado sob as ordens de Nero.[22]

A tradição da igreja noticia que Tito teria se tornado o primeiro bispo da igreja de Creta, permanecendo solteiro e morrendo na ilha, aos 94 anos de idade.[23]

A ilha de Creta

Creta era uma ilha grande e populosa. Havia sido célebre desde os tempos mais remotos por uma civilização avançada, em particular pela sabedoria de suas leis.[24] No ano 141 a.C., os judeus da ilha de Creta tinham se tornado suficientemente fortes para obter o apoio político de Roma, o que os tornou ainda mais prósperos e influentes. Roma anexou Creta em 67 a.C. e a uniu a Cirene, uma parte da Líbia na África do norte, como uma só província.

Política e geograficamente, Creta estava exposta às influências europeias ao norte, e às do Egito, Líbia e Cirene ao sul. Ela se achava situada em um ponto favorável: era a maior de uma cadeia de ilhas que serviam como uma série conveniente de trampolins para o tráfico que se fazia entre a Grécia e a Ásia Menor. Seus portos eram muito importantes para os navios que atravessavam o Mediterrâneo, especialmente no mau tempo (At 27.7-14).[25]

A ilha de Creta, de 260 quilômetros de comprimento, além de ser conhecida na antiguidade, foi também mencionada no Novo Testamento bem como no Antigo Testamento como terra dos filisteus, de nome Caftor (Dt 2.23; Jr 4.7; Am 9.7). Creta situava-se em um ponto de cruzamento entre a Ásia, a África e a Europa.

A palavra "sincretismo" vem dos cretenses. Em Creta, cada uma das numerosas cidades queria ser a mais autônoma possível em relação às demais. Somente quando estava em jogo a defesa contra um inimigo comum, os cretenses, que preferiam a independência, se uniam, tornando-se assim *syn*-cretenses (*syn*-cretismo). Nessa ilha confluía toda sorte de cultos, religiões, filosofias e linhas de pensamento.[26]

Charles Erdman reafirma que a ilha de Creta, que ocupava uma posição privilegiada no centro do Mediterrâneo, havia alcançado na antiguidade uma civilização brilhante; mas, por alguma razão, essa civilização entrou em declínio (1.12,13), e, no reinado de Augusto, os habitantes de

Creta eram bárbaros e toscos, e vistos com aversão e até desprezo.[27]

William Barclay diz que nessa época a igreja era uma ilha de cristianismo cercada por um mar de paganismo. As mais perigosas heresias a ameaçavam por todos os lados. As pessoas que a formavam estavam a um passo de sua origem e antecedentes pagãos.[28]

Como o evangelho é para todos os povos, judeus e gregos, bárbaros e estudiosos, Paulo, ao sair da sua primeira prisão em Roma, retornou à ilha, acompanhado de Tito para consolidar aquele trabalho ainda incipiente. Antes de partir para outras paragens, deixou ali Tito, seu filho na fé, companheiro e cooperador para colocar em ordem as coisas restantes e nomear presbíteros nas igrejas.

Algum tempo depois de sua saída de Creta, Paulo escreveu essa carta a Tito, com vários princípios pastorais que deveriam ser observados nas igrejas.

Albert Barnes diz que nós não temos informações seguras acerca do tempo exato em que o evangelho foi anunciado pela primeira vez na ilha de Creta, nem de quem foram os pioneiros dessa evangelização.[29] Os judeus cretenses tinham laços com os judeus de Jerusalém. Por isso, no dia de Pentecostes havia judeus piedosos de Creta que tinham ouvido o evangelho e testemunharam o estabelecimento da igreja (At 2.10,11).

A conversão de alguns desses homens e seu retorno subsequente à ilha de Creta foram provavelmente o começo das igrejas com as quais Paulo e Tito trabalharam mais tarde. Corroborando essa hipótese, Hans Burki afirma que é possível que, muito antes da visita de Paulo a Creta, já tivessem surgido nessa ilha pequenas células domésticas de discípulos de Jesus.[30]

Embora Paulo tivesse como meta pregar o evangelho em regiões ainda não alcançadas (Rm 15.20), também se esforçava para confirmar igrejas estabelecidas por outros (Rm 1.10-15; 15.22-24). Por isso, dispôs-se a visitar a ilha de Creta, onde provavelmente já existiam igrejas em muitas de suas cidades.

O propósito da carta

Destacamos três propósitos do apóstolo Paulo ao escrever essa carta:

Em primeiro lugar, *encaminhar Zenas e Apolo* (3.13). Essa carta de Paulo a Tito serviu como mensagem de recomendação para Zenas, o intérprete da lei, e Apolo, o eloquente evangelista, que foram também os portadores da missiva.

Em segundo lugar, *pedir para Tito encontrar-se com Paulo em Nicópolis* (3.12). Assim que Tito tivesse concluído seu trabalho, deveria deixar Creta para encontrar-se com Paulo em Nicópolis, antes da chegada do inverno. É muito provável que eles tenham se encontrado nessa cidade, uma vez que quando Paulo escreveu sua última carta a Timóteo, da prisão romana, disse que Tito tinha ido à Dalmácia (2Tm 4.10).

Concordo com Charles Erdman quando disse que não deveríamos deduzir que Tito tenha abandonado Paulo na prisão em Roma; antes, deve ter recebido mais uma missão para um lugar difícil e perigoso.[31]

Em terceiro lugar, *dar instruções pastorais acerca do que à igreja deveria fazer*. Tito deveria dar instruções à igreja para a promoção do espírito de santificação nas relações eclesiásticas, individuais, familiares e sociais. Desses três propósitos enunciados, o último é o que cobre a maior parte da carta.[32]

Van Oosterzee acentua o fato de que a moralidade dos cretenses estava longe do que deveria ser (1.12), e, temendo que esses novos convertidos retrocedessem aos seus antigos vícios, Paulo sentiu a necessidade imperativa de orientar Tito sobre como conduzir-se no meio desse povo, especialmente no estabelecimento da ordem na igreja, a fim de que os falsos mestres não a tomassem de assalto.[33]

As principais ênfases da carta

A carta de Paulo a Tito trata de vários temas fundamentais para a igreja.

Em primeiro lugar, *a organização das igrejas* (1.5). Muitas coisas estavam fora de lugar nas igrejas de Creta. Tito foi deixado lá para colocá-las em ordem. Essas coisas incluíam o ensino da sã doutrina, a aplicação da disciplina, o combate aos falsos mestres e a instrução da sã doutrina aos crentes.

Em segundo lugar, *a liderança das igrejas* (1.5-9). Paulo tinha uma solene preocupação com o governo da igreja. Uma igreja bíblica precisa ter líderes sãos na fé e na conduta. Paulo deixa claro que o objetivo supremo do governo da igreja é a preservação da verdade revelada.[34]

O apóstolo também afirma que o conhecimento da verdade desemboca numa vida piedosa (1.1). Os hereges, tanto do gnosticismo incipiente quanto do judaísmo, enfatizavam um conhecimento que não produzia piedade. A doutrina não pode estar separada da vida. A verdadeira doutrina produz vida santa, e vida santa é o resultado da verdadeira doutrina. Uma não existe sem a outra. Uma é causa, a outra é consequência.

Em terceiro lugar, *o combate aos falsos mestres e às falsas doutrinas* (1.10-16). A liderança da igreja precisa vigiar para que os lobos que estão do lado de fora não entrem; nem os lobos vestidos de peles de ovelha, disfarçados dentro da igreja, arrastem após si os discípulos (At 20.29-31). Esses falsos mestres podiam ser identificados por intelectualismo especulativo (3.9), espírito de exclusividade (2.11), ascetismo (1.15), licenciosidade (1.16), ganância (1.11), mitos e fábulas (1.14) e legalismo judeu, que exigia a circuncisão e promovia fábulas judias e mandamentos de homens (1.14).[35]

Meyer Pearlman menciona quatro características desses falsos mestres: 1) quanto a seu caráter, eram insubordinados, enganadores e faladores (1.10); 2) quanto às suas motivações, eram gananciosos (1.11,12); 3) quanto ao seu ensino, eram apegados às tradições judias e lendas (1.14), exigindo abstinência de alimentos (1.15); 4) quanto às suas pretensões, professavam ser verdadeiros mestres do evangelho, mas sua vida pecaminosa desmentia a sua profissão (1.16).[36]

Em quarto lugar, *o ensino da sã doutrina* (2.1). A igreja não deveria ficar apenas na defensiva, combatendo os falsos mestres, mas deveria sobretudo engajar-se no ensino da sã doutrina. Esta palavra "sã" é um termo médico e indica a doutrina que está livre de corrupção e enfermidade. É evidente que a falsa doutrina e o falso ensino ameaçavam a igreja cretense.[37]

Em quinto lugar, *a promoção da ética cristã* (2.2-10). Paulo dá orientações claras para os líderes e para os liderados. As prescrições apostólicas contemplam os idosos, os recém-casados, os jovens e os servos. Não é suficiente ter doutrina sã, é preciso também ter vida santa. A doutrina sempre deve converter-se em vida. Quanto mais conhecemos a verdade, tanto mais deveríamos viver em santidade. Diferentemente dos gnósticos, o conhecimento da verdade não nos conduz à soberba, mas à humildade.

Em sexto lugar, *a prática das boas obras* (2.11-14; 3.8,14). Não somos salvos pelas boas obras, mas demonstramos nossa salvação por meio delas. A salvação é pela fé somente, mas a fé salvadora nunca vem só; ela é acompanhada das boas obras. A fé é a causa; as boas obras são o resultado da salvação. As nossas boas obras não nos levam para o céu, mas nos acompanham para o céu (Ap 14.13).

Em sétimo lugar, *a submissão às autoridades* (3.1-11). A igreja de Deus é um lugar de ordem, e não de anarquia; de obediência, e não de insubmissão. Insurgir-se contra as autoridades instituídas por Deus é desafiar o próprio Deus que as instituiu. Assim, a fonte da autoridade não está nela mesma, mas em Deus.

Resistir à autoridade é resistir a Deus. Dessa forma, Paulo está combatendo dois erros. O primeiro deles é a autocracia. Toda vez que a autoridade atribui a si mesma o poder, age de forma autocrática e truculenta. O poder vem de Deus e deve ser exercido em nome de Deus, de acordo com o caráter e as prescrições de Deus. O segundo erro é a anarquia. A desobediência à autoridade, seja no Estado, seja na igreja ou na família, é um atentado contra a ordem estabelecida pelo próprio Deus.

Se a autoridade não pode exceder-se, atribuindo a si mesma poder, os liderados não podem rebelar-se, sacudindo de si o jugo da obediência.

Notas do capítulo 1

1. STOTT, John. *A mensagem de 1 Timóteo e Tito.* São Paulo: ABU, 2004, p. 10.
2. STOTT, John. *A mensagem de 1 Timóteo e Tito,* p. 12.
3. CALVINO, João. *Institutas da religião cristã.* Collins, 1986, IV.8.9.
4. HENDRIKSEN, Guillermo. *1 y 2 Timoteo y Tito.* TELL. Grand Rapids, MI: 1979, p. 10.
5. STOTT, John. *A mensagem de 1 Timóteo e Tito,* p. 10,11.
6. STOTT, John. *A mensagem de 1 Timóteo e Tito,* p. 18.
7. STOTT, John. *A mensagem de 1 Timóteo e Tito,* p. 18.
8. HENDRIKSEN, Guillermo. *1 y 2 Timoteo y Tito,* p. 10; Stott, John. *A mensagem de 1 Timóteo e Tito,* p. 18-25.
9. CALVINO, Juan. *Comentarios a las epístolas pastorales.* TELL. Grand Rapids, MI: 1968, p. 321,322.
10. ERDMAN, Charles R. *Las epístolas pastorales a Timoteo y Tito.* TELL. Grand Rapids, MI: 1966, p. 146.
11. HENDRIKSEN, Guillermo. *1 y 2 Timoteo y Tito,* p. 46.
12. ERDMAN, Charles R. *Las epístolas pastorales a Timoteo y Tito,* p. 143.
13. BARNES, Albert. *Barnes' Notes on the Old & New Testaments (Thessalonians-Philemon).* Grand Rapids, Ml: Baker Book House, 1981, p. 257.
14. SPAIN, Carl. *Epístolas de Paulo a Timóteo e Tito.* Vida Cristã. São Paulo: 1980, p. 181.
15. ERDMAN, Charles R. *Las epístolas pastorales a Timoteo y Tito,* p. 143.
16. HENDRIKSEN, Guillermo. *1 y 2 Timoteo y Tito,* p. 46,47.
17. BURKI, Hans. *Carta a Tito* em *Carta aos Tessalonicenses, Timóteo, Tito e Filemom,* p. 391.
18. CALVINO, Juan. *Comentarios a las epístolas pastorales,* p. 321.
19. HENDRIKSEN, Guillermo. *1 y 2 Timoteo y Tito,* p. 50.
20. GOULD, J. Glenn. *As epístolas pastorais* em *Comentário bíblico Beacon.* Vol. 9. 2006, p. 542.
21. OOSTERZEE, J. J. Van. *The Epistle of Paul to Titus* in *Commentary on the Holy Scriptures,* John Peter Lange. Vol. 11. Grand Rapids, Ml: Zondervan Publishing House, 1980, p. 2.
22. *Introdução à carta de Paulo a Tito* do Novo Testamento King James (Versão de Estudo). São Paulo: Abba Press, 2007, p. 510.
23. BURKI, Hans. *Carta a Tito. Carta aos Tessalonicenses, Timóteo, Tito e Filemom,* p. 391.
24. BONNET, L.; Schroeder, A. *Comentario del Nuevo Testamento.* Tomo 3, 1982, p. 740.

[25] Spain, Carl. *Epístolas de Paulo a Timóteo e Tito*, p. 183.
[26] Burki, Hans. *Carta de Paulo a Tito* em *Carta aos Tessalonicenses, Timóteo, Tito e Filemom*. Comentário Esperança. Curitiba: Esperança, 2007, p. 389.
[27] Erdman, Charles R. *Las epístolas pastorales a Timoteo y Tito*, p. 144,145.
[28] Barclay, William. *I y II Timoteo, Tito y Filemon*. Buenos Aires: Editorial la Aurora, Buenos Aires. 1974, p. 10.
[29] Barnes, Albert. *Barnes' Notes on the Old & New Testaments (Thessalonians-Philemon)*, p. 260.
[30] Burki, Hans. *Carta a Tito* em *Carta aos Tessalonicenses, Timóteo, Tito e Filemom*, p. 390.
[31] Erdman, Charles R. *Las epístolas pastorales a Timoteo y Tito*, p. 145,146.
[32] Hendriksen, Guillermo. *1 y 2 Timoteo y Tito*, p. 52.
[33] Oosterzee, J. J. Van. *The Epistle of Paul to Titus* in *Commentary on the Holy Scriptures*, John Peter Lange. Vol. 11, 1980, p. 2.
[34] Erdman, Charles R. *Las epístolas pastorales a Timoteo y Tito*, p. 146.
[35] Barclay, William. *I y II Timoteo, Tito y Filemon*, p. 13,14.
[36] Pearlman, Meyer. *Através da Bíblia*. São Paulo: Vida, 1987, p. 304.
[37] Erdman, Charles R. *Las epístolas pastorales a Timoteo y Tito*, p. 146.

Capítulo 2

A supremacia da Palavra no ministério apostólico
(Tt 1.1-4)

A INTRODUÇÃO À CARTA DE PAULO a Tito é a terceira mais longa escrita pelo apóstolo, só superada pela introdução de Gálatas e Romanos. Nessa introdução, Paulo não explica as circunstâncias pessoais nas quais se encontra, nem a dos leitores a quem se dirige.[38]

Qual o propósito dessa longa introdução, uma vez que Paulo está escrevendo para alguém tão próximo como Tito? Hans Burki diz que os versículos 1-3 trazem, em palavras concisas, a mais completa descrição do serviço apostólico, como Paulo o compreendia e praticava.[39] Donald Guthrie destaca o fato de que a introdução dessa carta não é apenas mais longa do que a introdução das outras cartas pastorais, mas também é mais teológica.[40]

William Hendriksen, por sua vez, diz que a introdução de Paulo está em total conformidade com o caráter e o propósito da epístola, uma vez que a sã doutrina caminha de mãos dadas com a vida de santificação e a realização das boas obras.[41]

A introdução dessa carta em apreço parece nos provar duas coisas importantes:

Em primeiro lugar, *a legitimidade da autoria paulina.* Paulo se apresenta como o autor dessa epístola (1.1). Jamais um pseudoescritor se passaria pelo apóstolo usando uma introdução tão longa. Concordo com Van Oosterzee quando diz que a extensão e a riqueza dessa introdução comparada à brevidade da carta pode ser considerada uma prova interna de sua genuinidade. Um impostor consideraria essa longa introdução, não encontrada na maioria das cartas paulinas, algo supérfluo e dispensável.[42]

Em segundo lugar, *a amplitude dos destinatários.* A carta não foi dirigida apenas a Tito, mas a toda a igreja cretense. O fato de Paulo fazer uma síntese da mensagem apostólica logo na introdução deixa claro que sua epístola foi dirigida não apenas a Tito, mas também às igrejas da ilha de Creta.

João Calvino diz que essa longa e laboriosa recomendação do seu apostolado demonstra que Paulo pensava em toda a igreja, e não só em Tito; porque seu apostolado não era impugnado por Tito, e Paulo tem o costume de proclamar os títulos de seu chamamento para manter sua autoridade.

Paulo, pois, escreve essa epístola não para que Tito a leia sozinho em seu quarto, mas para que sua mensagem seja publicada abertamente.[43] Essa carta devia ser para Tito não apenas fonte de instruções relativas ao governo das igrejas, mas uma espécie de carta de crédito diante dos crentes a quem ministrava.[44]

Destacaremos algumas verdades preciosas nesse introito da carta.

As credenciais do apóstolo Paulo (1.1)

As cartas antigas começavam com o nome e credenciais do remetente e uma saudação ao destinatário. Paulo se apresenta com duas credenciais da mais alta importância: servo de Deus e apóstolo de Jesus Cristo. William MacDonald corretamente afirma que a primeira expressão descreve Paulo como escravo do Supremo Mestre e a segunda como um mensageiro do Soberano Senhor. A primeira fala de submissão, a segunda de autoridade. Paulo se tornou um servo por uma rendição pessoal e um apóstolo por uma nomeação divina.[45] Vejamos mais detalhadamente esses dois títulos.

Em primeiro lugar, *servo de Deus* (1.1). Esta é a primeira e única vez, em suas cartas, que Paulo refere-se a si mesmo como "servo de Deus". É um termo de grande honraria, uma vez que foi usado no Antigo Testamento para os patriarcas, profetas e reis.

No Antigo Testamento, Abraão, Moisés, os profetas, Davi e os não-israelitas que cumprem os propósitos de Deus são designados "servos de Deus".[46]

Hans Burki é da opinião que Paulo tenha usado esse título, posicionando-se ao lado de patriarcas e profetas, em vista dos judeus hereges de Creta (1.10).[47] Denota também que Paulo era propriedade exclusiva de Deus e estava a serviço de Deus. Como servo de Deus, ele faz referência à grande causa que havia abraçado, de anunciar o eterno plano de Deus, a salvação dos eleitos, por meio da pregação da verdade.[48]

A expressão "servo de Deus" aponta, de igual forma, para o fato de que aquele que outrora fora escravo do pecado, agora, livre por Jesus Cristo, está a serviço de Deus.[49] Aqueles que não são servos de Deus, são servos do pecado, escravos das próprias paixões e estão a serviço de suas concupiscências.

Não deveríamos nos envergonhar de sermos chamados servos de Deus, de sermos escravos do Rei dos reis e do Senhor dos senhores, pois essa posição nos coloca em associação não somente com os patriarcas, profetas e apóstolos, mas também com os santos anjos e com o próprio Filho de Deus.[50]

Em segundo lugar, *apóstolo de Jesus Cristo* (1.1). Esta é uma definição mais exata de seu ofício, uma vez que Paulo recebeu sua comissão e sua doutrina de Jesus Cristo, diz Hervey.[51] Esse título explica em que sentido Paulo é servo de Deus, a saber, como emissário de Jesus, o Messias.[52]

John Stott diz que os apóstolos receberam do Senhor Jesus um chamado, uma comissão, uma autorização e uma capacitação sem igual, para ser seus inspirados mensageiros.[53]

Calvino afirma que há diferentes graus entre os servos de Deus. Dessa forma, Paulo passou de uma descrição geral para uma classe particular.[54] Paulo foi salvo de uma maneira extraordinária, quando o próprio Jesus apareceu para ele no caminho de Damasco. Foi escolhido e separado pelo próprio Cristo para ser apóstolo dos gentios. Paulo recebeu seu evangelho não da parte de homem algum, mas do próprio Cristo (Gl 1.11,12).

George Barlow está correto quando diz que o propósito de Paulo nessa apresentação é confrontar os falsos mestres, contrastando sua vocação divina para o apostolado com a autoridade que esses falsos mestres conferiam a si mesmos.[55]

O propósito do apostolado de Paulo (1.1,2)

O apóstolo enumera quatro propósitos de seu apostolado.

Em primeiro lugar, *promover a fé dos eleitos de Deus* (1.1). Warren Wiersbe diz que o propósito de Paulo era compartilhar a fé, o conjunto de verdades contidas na Palavra de Deus.[56]

Paulo relaciona seu ministério com a salvação dos eleitos de Deus, como se estivesse dizendo que existe um acordo mútuo entre seu apostolado e a fé dos eleitos de Deus; por conseguinte, seu apostolado não seria rechaçado por ninguém, exceto pelos réprobos e pelos que se opõem à verdadeira fé.[57]

Deus tem seus eleitos e os chama à fé mediante a pregação apostólica. Kelly diz que Paulo prega o evangelho de modo que aqueles que Deus escolheu e está chamando possam vir para a fé ou possam crescer na fé.[58] Paulo tinha sido encarregado de anunciar essa verdade bendita. Algumas verdades sublimes devem ser aqui destacadas:

A eleição é um decreto de Deus. Deus, na sua soberania e graça, escolheu alguns para a salvação. Essa escolha é livre, soberana e eterna (2Tm 1.9). Essa eleição é em Cristo, e não à parte dele, pois se baseia em seu sacrifício substitutivo, e não no merecimento humano (Ef 1.4). Essa eleição é fruto da graça, e não resultado das obras.

A eleição está enraizada no solo da graça. Foi Deus quem nos escolheu, e não nós a ele (Jo 15.16). Deus nos escolheu não porque previu que iríamos crer em Cristo, mas cremos em Cristo porque Deus nos escolheu (At 13.48). A eleição é a mãe da fé. A fé não é a causa da eleição, mas o seu resultado.

Deus nos escolheu não porque viu em nós boas obras, mas porque fomos criados em Cristo para as boas obras (Ef 2.10). As boas obras não são a causa da eleição, mas a sua consequência. Deus nos escolheu não porque viu em nós santidade, mas porque fomos eleitos antes da fundação do mundo para sermos santos (Ef 1.4). Deus nos escolheu não porque viu em nós obediência, mas porque fomos eleitos para a obediência (1Pe 1.2).

Concordo com Van Oosterzee quando diz que a doutrina da graciosa eleição divina não tem o propósito de ser uma pedra de tropeço para o descrente, mas uma fonte de consolo para o crente, uma vez que o crente considera a livre e soberana escolha divina como o fundamento de sua maior glória e consolação, tanto na vida quanto na morte.[59]

A fé é uma dádiva de Deus. Todos os eleitos são chamados eficazmente, justificados e glorificados (Rm 8.30). Todos os que são destinados para a vida eterna creem (At 13.48). Deus chama seus escolhidos mediante a Palavra (Jo 17.20). A fé vem pelo ouvir a Palavra (Rm 10.17). Quando o eleito escuta a voz do evangelho, ele crê, assim como quando uma ovelha de Cristo escuta a voz do pastor logo a atende (Jo 10.27).

Concordo com Albert Barnes quando diz que é propósito de Deus salvar seu povo, mas isso não significa salvá-lo na infidelidade e descrença. Primeiro eles devem crer e só então é que são salvos.[60]

Os eleitos creem mediante o ministério da Palavra (1.1). A fé dos eleitos é promovida por meio da pregação da Palavra. Deus escolheu salvar os seus mediante a loucura da pregação (1Co 1.21). Deus chama os seus eleitos, e os chama eficazmente, mediante a pregação fiel da sua Palavra. Por essa causa, Van Oosterzee diz que o verdadeiro pregador do evangelho é nada menos, nada mais do que o intérprete da divina revelação da salvação.[61]

Concordo com Matthew Henry quando diz que a fé descansa não sobre os falíveis arrazoados e opiniões humanas, mas sobre a própria verdade divina que conduz à piedade.[62]

Em segundo lugar, *promover o pleno conhecimento da verdade* (1.1). O apóstolo Paulo era um embaixador da verdade. Seu ministério tinha como plataforma principal oferecer aos pecadores o pleno conhecimento da verdade. Essa verdade é a verdade revelada. É o evangelho da graça. Erdman diz que essa verdade não é outra senão o evangelho cristão que tem como propósito a promoção da piedade.[63] Para Calvino a fé dos eleitos e o pleno conhecimento da verdade são a mesma coisa. O pleno conhecimento da verdade explica qual é a natureza dessa fé, pois não há fé sem conhecimento.[64]

Concordo com John Stott quando diz que fé e conhecimento são duas características fundamentais do povo de Deus. Longe de ser incompatíveis, a fé e o conhecimento estão lado a lado. Aqueles que conhecem o nome de Deus são os que confiam nele. A base para terem fé nele é o conhecimento que têm do nome de Deus e do caráter dele, que lhes foi revelado.[65]

A fé evangélica não é fé cega nem fé mística, mas fé estribada no pleno conhecimento da verdade. Paulo não fala de qualquer classe de verdade, mas da doutrina celestial que se contrapõe à vaidade do entendimento humano (Jo 16.13; 17.17; Gl 3.1; Cl 1.5; 1Tm 2.4; 3.15). Em suma, essa verdade é o reto e sincero conhecimento de Deus, que nos liberta de todo erro e falsidade.[66]

Os falsos mestres anunciavam outra mensagem, outro evangelho, e pleiteavam arrogantemente serem os legítimos portadores da verdade. Um grupo de falsos mestres tentava misturar a lei judaica com o evangelho da graça (1.10,14), enquanto alguns dos cristãos gentios abusavam da mensagem da graça, transformando-a em licenciosidade (2.11-15). Porém, não existem duas verdades. A verdade é objetiva. Paulo não era um arauto de experiências místicas. Ele não anunciava revelações forâneas às Escrituras. Não pregava a si mesmo; anunciava a Cristo, a verdade encarnada de Deus.

A verdade é a sã doutrina. É a ortodoxia em oposição à heresia dos falsos mestres. É o conteúdo do evangelho.

Em terceiro lugar, *promover a vida piedosa* (1.1). Diferentemente da aparente verdade anunciada pelos gnósticos e judaizantes, a verdade de Deus produz vida santa. Erdman está correto quando diz que a mensagem apostólica diferia das heresias dos falsos mestres, que eram simplesmente especulativas e sem propósitos práticos ou morais.

Ademais, em contraposição ao espírito enganoso e desleal dos cretenses que propagavam seus erros, a esperança da vida eterna era uma promessa fiel do Deus que não pode mentir.[67]

A verdade de Deus não é endereçada apenas ao intelecto, mas ao coração. É uma verdade transformadora. A doutrina bíblica produz transformação de vida. Ela desemboca em piedade. Ela traz luz para a mente e fogo para o coração. Ela informa e transforma.

Hans Burki está correto quando afirma que a verdade forma unidade com a vida, assim como a fé forma unidade com as obras.[68]

Calvino declara que essa cláusula elogia a doutrina de Paulo pelo seu fruto, uma vez que não tem outro objetivo senão que Deus seja adorado da forma correta, e que a religião pura floresça entre os homens. A única recomendação legal da doutrina é que ela nos ensina a temer a Deus e a prostrar-nos ante ele com reverência.[69]

A verdade do evangelho transforma uma vida de "impiedade" (2.12) em uma vida de santidade. Muitos cretenses, e ainda hoje alguns membros das congregações, professam ser salvos, mas sua vida nega sua profissão de fé (1.16).[70]

Em quarto lugar, *promover a esperança da vida eterna* (1.2). A verdadeira religião e a prática da piedade começam com a esperança da vida celestial.[71] Erdman diz que a fé e o conhecimento da verdade são acompanhados da esperança.[72]

A palavra "esperança" aparece 52 vezes no Novo Testamento e sempre está em conexão com Deus, com o Mediador e com os crentes. Deus é o autor dessa esperança, pois ele é o Deus da esperança (Rm 15.13). O propósito dessa esperança é oferecer aos que creem a vida eterna (Rm 6.23). Essa vida eterna tem a ver com a fruição da comunhão com Deus, desde agora e por toda a eternidade (Jo 17.3,24).

A verdade do evangelho não apenas transforma a vida aqui e agora, mas também aponta para uma esperança gloriosa no futuro. Somos nascidos de Deus para uma viva esperança (1Pe 1.3).

A verdade evangélica tem sua consumação na eternidade. Ela é empírica e também transcendental e escatológica. Ela fala da terra e também do céu. Ela tem sido transformadora para a vida do lado de cá da sepultura e oferece segurança para a vida além-túmulo. Essa verdade não é como uma verdade científica, histórica e política, mas uma verdade espiritual que conduz o homem a uma vida santa e o prepara desde já para o céu absolutamente santo.[73]

A confiança do apóstolo Paulo (1.2,3)

William MacDonald sintetiza o ministério de Paulo em relação ao evangelho em três áreas distintas: 1) evangelismo – "[...] a fé que é dos eleitos de Deus" (1.1); 2) educação – "[...] e o pleno conhecimento da verdade segundo a piedade" (1.1); 3) expectação – "[...] na esperança da vida eterna que o Deus que não pode mentir prometeu" (1.2).[74] O apostolado de Paulo está calçado em confiança inabalável. Duas verdades preciosas são aqui destacadas:

Em primeiro lugar, *a promessa de Deus* (1.2). A vida eterna é uma promessa de Deus, e não uma mera expectativa humana. Não é uma vaga possibilidade humana, mas uma garantia divina. Não é apenas uma bênção usufruída na terra, mas um decreto firmado no céu.

Albert Barnes chega a dizer que a única esperança da salvação é a promessa do Deus que não pode mentir.[75] Calvino afirma que a única prova de toda a religião é a imutável verdade de Deus.[76] Para Hans Burki, a vida eterna continuaria sendo um desejo infundado e até mesmo puro devaneio sem a promessa do Deus que não pode mentir.[77] Com respeito a essa promessa, Paulo destaca dois pontos:

Sua perspectiva eterna (1.2). O Deus que não pode mentir prometeu a vida eterna antes dos tempos eternos. O decreto da salvação dos eleitos foi feito na eternidade (Ef 1.4; 2Tm 1.9). A nossa salvação foi planejada e decidida mesmo antes de Deus lançar os fundamentos da terra. Antes mesmo de o sol brilhar no firmamento, Deus já havia destinado seus escolhidos para a vida eterna.

Sua perspectiva temporal (1.3). A promessa da vida eterna feita na eternidade manifestou-se no tempo devido, ou seja, na plenitude dos tempos (Gl 4.4). No tempo oportuno de

Deus, no *kairós* de Deus, essa promessa eterna veio à luz, por meio da pregação do evangelho.

Em segundo lugar, *o comissionamento de Deus* (1.3). Quatro verdades são aqui destacadas acerca do comissionamento de Deus:

Seu conteúdo (1.3). A Palavra de Deus é o conteúdo. Não temos outra mensagem. Hans Burki diz que o conteúdo da proclamação é Jesus, o Redentor. Ele é a palavra da salvação (At 13.26), da graça (At 14.3; 20.32), da vida (Fp 2.15), da reconciliação (2Co 5.19), da verdade (Jo 14.6); em suma, ele é a palavra de Deus aos seres humanos (1Co 1.21; Ap 19.13).[78]

Seu veículo (1.3). Deus manifestou sua Palavra mediante a pregação. A pregação é o meio eficaz de transmitir a Palavra e chamar os escolhidos. Por intermédio do sagrado ofício da pregação, filhos espirituais são gerados de Deus e para Deus (Tg 1.18). O cristianismo não é filosofia nem dramaturgia. A mensagem cristã é proclamada não por sacerdotes, mas por pregadores.

Warren Wiersbe diz que não se trata de uma referência ao ato de proclamar a Palavra, mas ao conteúdo dessa mensagem (1Co 1.21).[79] Kelly nessa mesma linha de pensamento diz que, com relação à pregação, Paulo quer dizer, não ao próprio ato de proclamar o evangelho, porém mais concretamente à mensagem apostólica.[80]

Sua origem (1.3). A Palavra é manifestada mediante a pregação por autorização de Deus, nosso Salvador. Calvino diz que Paulo aplica o mesmo epíteto ao Pai e a Cristo, de sorte que cada um deles é nosso Salvador mas por uma razão diferente: pois o Pai é chamado nosso Salvador porque nos redimiu pela morte de seu Filho, para que pudesse nos fazer herdeiros da vida eterna; e o Filho, porque derramou seu sangue para pagar o preço da nossa salvação.

Assim, o Filho nos tem trazido à salvação do Pai, e o Pai nos tem outorgado a salvação por meio do Filho.[81] Paulo não se autointitulou apóstolo. Ele não ungiu a si mesmo nem arrogou para si esse ofício. Recebeu seu apostolado, como pregador da Palavra, por incumbência de Deus. É absolutamente estranho ao ensino neotestamentário aqueles que atualmente recebem o título de apóstolos ou que se autodenominam apóstolos.

Seu instrumento (1.3). Paulo diz que a pregação lhe foi confiada por Deus. A verdade tem sua origem em Deus, mas a pregação é feita por homens chamados por Deus.

Concordo com Hans Burki quando diz que Paulo evangeliza por causa de Deus e com vistas a ele, e não por causa dos homens nem por causa de sua necessidade, miséria e perdição. Justamente por isso, na verdade, ele evangeliza os homens, porque visa a conquistá-los unicamente a partir da misericórdia divina, que age também nele.[82]

A saudação apostólica (1.4)

Depois de se apresentar e mostrar suas credenciais, bem como o propósito de seu apostolado, Paulo menciona o destinatário de sua carta.

Em primeiro lugar, *a identificação do destinatário* (1.4). Dois fatos são dignos de nota acerca de Tito.

Ele era filho espiritual de Paulo (1.4). Paulo está se dirigindo a um filho espiritual. Trata-se de alguém que veio a Cristo por intermédio do ministério de Paulo.[83] William Hendriksen diz que a palavra "filho" é muito feliz porque combina duas ideias: "eu te gerei" e "tu és mui amado para mim".[84] Matthew Henry diz que Tito era filho de Paulo não por geração natural, mas por regeneração sobrenatural.[85]

Ele era comprometido com o mesmo evangelho que Paulo pregava (1.4). Paulo era um judeu, e Tito, um gentio. Os dois, porém, abraçaram a mesma fé. A fé comum é a fé que tem todo cristão. A fé aqui é objetiva e não subjetiva. É o próprio conteúdo do Evangelho.

Warren Wiersbe está correto ao esclarecer que cristãos de diferentes denominações podem ter características distintas, mas todos os que possuem a mesma fé salvadora compartilham "[...] da nossa comum salvação" (Jd 3). Há um corpo definido de verdades confiado à Igreja, a "[...] fé que uma vez por todas foi entregue aos santos" (Jd 3). Qualquer ensinamento, portanto, que se desvie da "fé comum" é falso e não deve ser tolerado na congregação.[86]

Em segundo lugar, *as bênçãos rogadas ao destinatário* (1.4). Paulo roga a Deus a bênção da graça e da paz para Tito. A graça é a fonte e a paz é fluxo que corre dessa fonte. A graça é a raiz e a paz é o fruto. William Hendriksen diz que a graça é o favor operado por Deus no coração de seu filho sem que ele tenha mérito algum. É seu cristocêntrico amor perdoador e fortalecedor. A paz é a consciência do filho de haver sido reconciliado com Deus por meio de Cristo. Graça é a fonte, e paz é a corrente que flui dessa fonte (Rm 5.1).[87]

Em terceiro lugar, *a fonte das bênçãos rogadas* (1.4). Tanto a graça quanto a paz provêm de Deus Pai e de Cristo Jesus, nosso Salvador. Tanto o Pai quanto o Filho são a origem e a fonte dessas bênçãos. A graça e a paz têm sua origem em Deus, o Pai, e são obtidas para o crente pelos méritos de Cristo Jesus. Eles dois, o Pai e o Filho, são a fonte única da graça e da paz.[88]

Notas do capítulo 2

[38] ERDMAN, Carlos R. *Las epístolas pastorales a Timoteo y Tito*, p. 149.
[39] BURKI, Hans. *Carta aos Tessalonicenses, Timóteo, Tito e Filemom*, p. 392.
[40] GUTHRIE, Donald. *Titus* in *New Bible Commentary*, ed. G. J. Wenham et all. Downers Grove, IL., Intervarsity Press: 1994, p. 1.311.
[41] HENDRIKSEN, Guillermo. *1 y 2 Timoteo y Tito*. TELL. Grand Rapids, MI: 1979, p. 383,384.
[42] OOSTERZEE, J. J. Van. *The Epistle of Paul to Titus* in *Lange's commentary on the Holy Scriptures*. Vol. 11. Grand Rapids, Ml: Zondervan Publishing House, 1980, p. 6.
[43] CALVINO, Juan. *Comentarios a las epístolas pastorales de San Pablo*. TELL. Grand Rapids, MI: 1968, p. 323.
[44] BONNET, L. y Schroeder, A. *Comentario del Nuevo Testamento*. Tomo 3. El Paso, TX: Casa Bautista de Publicaciones, 1982, p. 743.
[45] MACDONALD, William. *Believer's Bible commentary*. Nashville, TN: Thomas Nelson Publishers, 1995, p. 2.132.
[46] KELLY, J. N. D. *I e II Timóteo e Tito: Introdução e comentário*. São Paulo: Vida Nova, 1999, p. 205.
[47] BURKI, Hans. *Carta aos Tessalonicenses, Timóteo, Tito e Filemom*, p. 392.
[48] BARNES, Albert. *Barnes' Notes on the Old & New Testaments (Thessalonians-Philemon)*, p. 265.
[49] HERVEY, A. C. *Titus* in *The pulpit commentary*. Vol. 21. Grand Rapids, MI: Wm B. Eerdmans Publishing Company: 1978, p. 5.
[50] OOSTERZEE, J. J. Van. *The Epistle of Paul to Titus* in *Lange's commentary on the Holy Scriptures*, p. 7.
[51] HERVEY, A. C. *Titus* in *The pulpit commentary*, p. 6.
[52] BURKI, Hans. *Carta aos Tessalonicenses, Timóteo, Tito e Filemom*, p. 392.
[53] STOTT, John. *A mensagem de 1Timóteo e Tito*, p. 172.
[54] CALVINO, Juan. *Comentarios a las epístolas pastorales de San Pablo*, p. 324.
[55] BARLOW, George. *The preacher's complete homiletic commentary*. Vol. 29. Baker Books, Grand Rapids, MI: 1996, p. 89.
[56] WIERSBE, Warren. *Comentário bíblico expositivo*. Vol. 6, Santo André: Geográfica, SP. 2006, p. 337.
[57] CALVINO, Juan. *Comentarios a las epístolas pastorales de San Pablo*, p. 325.

[58] KELLY, J. N. D. *I e II Timóteo e Tito: Introdução e comentário*, p. 206.
[59] OOSTERZEE, J. J. Van. *The Epistle of Paul to Titus* in *Lange's commentary on the Holy Scriptures*, p. 6.
[60] BARNES, Albert. *Barnes' Notes on the Old & New Testaments (Thessalonians-Philemon)*, p. 265.
[61] OOSTERZEE, J. J. Van. *The Epistle of Paul to Titus* in *Lange's commentary on the Holy Scriptures*, p. 7.
[62] HENRY, Matthew. *Matthew Henry's commentary in one volume*. Grand Rapids, MI: Zondervan Publishing House, 1961, p. 1.900.
[63] ERDMAN, Carlos R. *Las epístolas pastorales a Timoteo y Tito*, p. 150.
[64] CALVINO, Juan. *Comentarios a las epístolas pastorales de San Pablo*, p. 326.
[65] STOTT, John. *A mensagem de 1 Timóteo e Tito*, p. 173.
[66] CALVINO, Juan. *Comentarios a las epístolas pastorales de San Pablo*, p. 326.
[67] ERDMAN, Carlos R. *Las epístolas pastorales a Timoteo e Tito*, p. 152.
[68] BURKI, Hans. *Carta aos Tessalonicenses, Timóteo, Tito e Filemom*, p. 393.
[69] CALVINO, Juan. *Comentarios a las epístolas pastorales de San Pablo*, p. 327.
[70] WIERSBE, Warren W. *Comentário bíblico expositivo*, p. 337.
[71] CALVINO, Juan. *Comentarios a las epístolas pastorales de San Pablo*, p. 327.
[72] ERDMAN, Carlos R. *Las epístolas pastorales a Timoteo y Tito*, p. 150.
[73] BARNES, Albert. *Barnes' Notes on the Old & New Testaments (Thessalonians-Philemon)*, p. 266.
[74] MACDONALD, William. *Believer's Bible commentary*, p. 2.132.
[75] BARNES, Albert. *Barnes' Notes on the Old & New Testaments (Thessalonians-Philemon)*, p. 266.
[76] CALVINO, Juan. *Comentarios a las epístolas pastorales de San Pablo*, p. 330.
[77] BURKI, Hans. *Carta aos Tessalonicenses, Timóteo, Tito, Filemom*, p. 393.
[78] BURKI, Hans. *Carta aos Tessalonicenses, Timóteo, Tito, Filemom*, p. 394.
[79] WIERSBE, Warren W. *Comentário bíblico expositivo*, p. 338.
[80] KELLY, J. N. D. *I e II Timóteo e Tito: Introdução e comentário*, p. 208.
[81] CALVINO, Juan. *Comentarios a las epístolas pastorales de San Pablo*, p. 332.
[82] BURKI, Hans. *Carta aos Tessalonicenses, Timóteo, Tito e Filemom*, p. 393.

[83] Veja no capítulo anterior uma descrição completa da vida e ministério de Tito.
[84] HENDRIKSEN, Guillermo. *1 y 2 Timoteo y Tito*, p. 388.
[85] HENRY, Matthew. *Matthew Henry's commentary on one volume*. 1961, p. 1.900.
[86] WIERSBE, Warren W. *Comentário bíblico expositivo*, p. 338.
[87] HENDRIKSEN, Guillermo. *1 y 2 Timoteo y Tito*, p. 388.
[88] HENDRIKSEN, Guillermo. *1 y 2 Timoteo y Tito*, p. 388.

Capítulo 3

Como distinguir os pastores dos lobos
(Tt 1.5-16)

A CARTA DE PAULO A TITO EXPÕE DE maneira eloquente o binômio: ortodoxia e piedade; teologia e ética; doutrina e dever. No capítulo, 1 Paulo aborda esse binômio em relação à igreja; no capítulo 2, em relação à família; e, no capítulo 3, em relação ao mundo.

Paulo deixou Tito em Creta para colocar em ordem as coisas restantes nas igrejas e constituir nessas igrejas presbíteros (1.5). A palavra grega *epidiorthose* significa colocar em linha reta, colocar em ordem, endireitar.[89] Warren Wiersbe escreve que esse é um termo médico e se refere a endireitar um membro torto.[90]

A palavra para "restantes" significa o que está faltando. O texto da carta indica que havia graves faltas na vida individual e conjunta das igrejas de Creta, como: 1) falta de liderança espiritual (1.5); 2) falsos mestres (1.10,11); 3) conduta imoral entre os membros da família de Deus, tanto jovens quanto velhos (2.1-10).[91]

A ilha de Creta era uma região altamente marcada pela devassidão moral e pela disseminação de muitas heresias. As igrejas, ainda incipientes, corriam sérios riscos de ser atacadas por esses dois perigos mortais. Somente sob uma liderança bíblica e moralmente sadia a igreja poderia resistir a esse cerco ameaçador. A maneira mais adequada de combater o erro é espalhar a verdade. Você apaga o fogo falso com o fogo verdadeiro. A forma mais eficaz de combater os falsos mestres é multiplicar os verdadeiros mestres.

John Stott lembra que os versículos 6 a 16 apresentam um forte contraste entre os verdadeiros presbíteros que Tito designaria (1.6-9) e os falsos mestres que os presbíteros teriam de silenciar (1.10-16).[92]

É importante ressaltar aqui quatro verdades, à guisa de introdução.

Em primeiro lugar, *a liderança da igreja deve ser composta de um colegiado.* Paulo determina a Tito que constitua presbíteros em cada igreja. A liderança da igreja local deve ser composta por uma equipe e um colegiado de presbíteros, e não por um líder autocrático. Assim como a igreja de Jerusalém tinha uma pluralidade de presbíteros (At 11.30); Paulo também constituiu presbíteros nas igrejas (At 14.23). Essa mesma prática deveria ser repetida em todas as igrejas da ilha de Creta (1.5).

Em segundo lugar, *a liderança da igreja não é hierárquica.* Paulo usa os termos presbítero (1.5) e bispo (1.7) para se referir à mesma pessoa. O bispo não é um ofício superior ao presbítero. Os dois termos, presbítero e bispo, são usados para descrever o mesmo líder (At 20.17,28). Assim, o presbítero e o bispo são termos correlatos e devem destacar características distintas do mesmo líder. O termo *presbítero* refere-se à maturidade e experiência do líder, enquanto o termo *bispo* diz respeito à sua responsabilidade e função de supervisão pastoral.[93]

William MacDonald diz que o uso contemporâneo do termo *bispo* passou a descrever um prelado que supervisiona uma diocese ou um grupo de igrejas em um distrito. Mas a palavra não tem esse significado no Novo Testamento. O modelo bíblico é de vários bispos em uma igreja, em vez de um bispo supervisionando várias igrejas.[94]

Em terceiro lugar, *a liderança da igreja deve ser constituída conforme prescrição bíblica*. Paulo dá orientações claras e absolutamente precisas acerca dos atributos que um presbítero deve ter (1.6-9). As características do presbítero mencionadas pelo apóstolo têm mais a ver com sua vida do que com o seu desempenho. A vida do líder é a vida da sua liderança. A vida precede o ministério e é sua base.

Warren Wiersbe adverte que o fato de esses critérios se aplicarem aos cristãos da ilha de Creta, bem como àqueles da cidade de Éfeso (1Tm 3.1-7), comprova que o padrão de Deus para os líderes não varia. Tanto as igrejas das cidades grandes quanto aquelas das cidades pequenas precisam de pessoas piedosas nos cargos de liderança.[95] Outra coisa importante é que o presbiterato pode ser legitimamente desejado (1Tm 3.1), mas só o Espírito pode constituir alguém como bispo sobre a igreja (At 20.28).

Em quarto lugar, *a principal função da liderança da igreja é alimentar o rebanho com a Palavra*. Paulo diz que o bispo é um despenseiro de Deus (1.7), ou seja, o que fornece o alimento na casa (1Co 4.1,2). Sua função precípua não é cuidar da administração das mesas, mas cuidar da administração da Palavra.

Há duas diaconias fundamentais na igreja: a diaconia das mesas e a diaconia da Palavra. Cabe ao presbítero dedicar-se à diaconia da Palavra. Isso porque o presbítero é também pastor do rebanho (At 20.28), aquele que cuida das ovelhas e as conduz aos pastos verdejantes. John Stott diz que essas são metáforas que bem caracterizam o ministério da Palavra de Deus, que abrange tanto o ensino da verdade quanto a ação de refutar o erro (1.9).[96]

Os atributos dos presbíteros, os pastores que apascentam o rebanho (1.6-9)

O Novo Testamento detalha com grande precisão as funções do presbítero: 1) o presbítero deve pastorear a igreja do Senhor (At 20.28; 1Tm 3.5; 1Pe 5.2); 2) o presbítero deve proteger a igreja tanto dos ataques externos quanto dos internos (At 20.29-31); 3) o presbítero deve dirigir e governar a igreja, servindo-lhe de exemplo (1Ts 5.12; 1Tm 5.17; Hb 13.7,17; 1Pe 5.3); 4) o presbítero deve pregar a Palavra, ensinar a sã doutrina e refutar aqueles que a contradizem (1Tm 5.17; Tt 1.9-11); 5) o presbítero deve orientar a igreja nas questões doutrinárias e éticas (At 15.5,6; 16.4); 6) o presbítero deve viver de tal forma que sua vida seja um exemplo para todo o rebanho (Hb 13.7; 1Pe 5.3); 7) o presbítero deve corrigir com espírito de brandura aqueles que são surpreendidos em alguma falta (Gl 6.1); 8) o presbítero deve velar pela alma daqueles que lhes são confiados, sabendo que prestará contas desse pastoreio ao Supremo Pastor (Hb 13.17); 9) o presbítero deve exercer o ministério da oração, especialmente em relação aos crentes enfermos (Tg 5.14,15); 10) o presbítero deve estar engajado no cuidado dos crentes pobres (At 11.30).[97]

O retrato que Paulo traça do presbítero é emoldurado pela irrepreensibilidade. O presbítero (1.6) ou bispo (1.7) deve ser irrepreensível. John Stott corretamente diz que isso não quer dizer que os candidatos teriam de ser totalmente isentos falhas e defeitos, pois nesse caso todos seriam desqualificados.

A palavra empregada é *anenkletos,* "sem culpa, não passível de acusação" e não *anômos,* que significa "sem mácula".[98] O presbítero não pode deixar flancos abertos na sua vida nem ter brechas no seu escudo moral. Seu ofício é público e sua reputação pública precisa ser inquestionável. Calvino diz que o presbítero deve ser um homem de reputação ilibada, sem mancha.[99] O presbítero precisa ter doutrina pura e vida pura.

O presbítero precisa ser irrepreensível em três áreas distintas.

Em primeiro lugar, *o presbítero precisa ser irrepreensível como líder de sua família* (1.6). O presbítero precisa ser irrepreensível em dois pontos vitais dentro de sua família:

Ele deve ser irrepreensível como marido (1.6). O presbítero precisa ser um homem íntegro em sua conduta conjugal. Ele precisa ser um marido fiel à sua esposa. Ele não pode ser um homem adúltero, mantendo relacionamentos extraconjugais; nem polígamo, casando-se com várias mulheres. Calvino destaca o fato de que a poligamia era tão comum entre os judeus, que o perverso costume quase se havia convertido em lei.[100] Essa cultura estava em desacordo com o padrão divino para a liderança da igreja.

O que significa o termo "marido de uma só mulher?" Obviamente, Paulo não excluiu do presbiterato o homem solteiro ou o viúvo que se casou novamente. Antes, ele está instruindo a igreja que os polígamos e os que se divorciam e se casam novamente, por razões não amparadas nas Escrituras, estão desqualificados para esse ofício (Mt 19.9; 1Co 7.15).

A interpretação de J. N. D. Kelly me parece exagerada quando entende que "marido de uma só mulher" se refere a um homem que não se casou outra vez depois da morte de sua esposa ou depois do divórcio.[101] Concordo com Erdman quando orienta que "marido de uma só mulher" quer dizer marido fiel, ou seja, um homem livre de qualquer suspeita quanto à sua relação matrimonial.[102]

Ele deve ser irrepreensível como pai (1.6). O presbítero precisa ser o sacerdote do seu lar, o líder espiritual da sua família. Deve criar seus filhos na disciplina e admoestação do Senhor. Precisa orar com seus filhos e por seus filhos. Concordo com William MacDonald quando diz que, embora um pai não possa determinar a salvação de seus filhos, pode preparar o caminho do Senhor por intermédio da positiva instrução da Palavra, da amorosa disciplina, evitando toda forma de hipocrisia e a inconsistência da própria vida (Pv 22.6).[103] Se o presbítero não sabe governar a própria casa, como poderá governar a igreja de Deus, pergunta o apóstolo Paulo (1Tm 3.4,5).

John Stott diz que os pais que não tiveram sucesso na condução dos próprios filhos não são merecedores de confiança quanto a conduzir a família de Deus.[104] Entretanto, Hans Burki diz que, quando os filhos em uma casa são obedientes e crentes, pode-se concluir que o pai também é apto para presidir a família eclesial.[105] Concluímos, portanto, que os filhos dos presbíteros devem ser cristãos. Eles devem ser não apenas salvos, mas também bons exemplos de obediência e dedicação. Obviamente isso se aplica aos filhos que vivem com a família sob a autoridade do pai.[106]

Paulo continua em seu argumento, dizendo que os filhos dos presbíteros não podem ser dissolutos nem insubordinados. A palavra grega *asotia*, "dissoluto", significa dissolução ou libertinagem. Trata-se da pessoa incapaz de guardar dinheiro, alguém que desperdiça seus bens, especialmente com a implicação de fazê-lo em prazeres, arruinando, desse modo, a si mesmo com uma vida luxuriosa e extravagante.[107] O homem *asotos* é o gastador extravagante que se entrega aos prazeres pessoais. É a palavra utilizada em Lucas 15.13 para referir-se à vida desenfreada do filho pródigo. O homem que é *asotos* destrói sua riqueza e finalmente arruína-se a si mesmo.[108]

Os filhos dos presbíteros, de igual forma, não podem ser insubordinados, ou seja, precisam acatar e obedecer à autoridade dos pais. Hans Burki diz que a convivência em família era de significado essencial para a expansão e o aprofundamento da fé, uma vez que as igrejas ainda eram quase exclusivamente comunidades domiciliares, e porque o entorno muitas vezes hostil observava com atenção máxima o que acontecia nesses lares.[109]

Em segundo lugar, *o presbítero precisa ser irrepreensível como despenseiro de Deus* (1.7,8). Paulo, ao elencar as marcas de um presbítero, aborda o assunto sob duas perspectivas. Ele trata do assunto negativamente, o que um presbítero não deve ser e, positivamente, o que um presbítero deve ser.

Primeiro, *o presbítero deve ser conhecido pelo que ele não é* (1.7). Antes de falar das virtudes do presbítero, Paulo fala dos defeitos que ele não deve ter. Paulo apresenta cinco termos negativos, que se relacionam com cinco áreas de grande tentação, ou seja: arrogância, temperamento irascível, não dado ao vinho, violento e ganancioso.[110] Vejamos cada uma dessas descrições.

O presbítero não deve ser arrogante. A palavra grega *authades,* "soberbo, arrogante", significa literalmente satisfazer a si mesmo. Trata-se da pessoa que exalta a si mesma, que só se preocupa consigo mesma e olha para os outros com discriminação e desprezo. É aquela pessoa que obstinadamente mantém a própria opinião, ou assevera os próprios direitos e não considera os direitos, sentimentos e interesses de outras pessoas.[111] Gene Getz diz que o homem arrogante é um homem egocentrista. Ele constitui a própria autoridade.[112] William Barclay descreve ainda o arrogante com as seguintes palavras:

> É uma pessoa intolerante, que condena tudo o que não pode compreender; que pensa que não há outra forma de fazer as coisas que não seja a sua, que crê que não existe outro caminho para o céu que não seja o seu, que menospreza os sentimentos e as crenças dos demais.[113]

O presbítero não deve ser irascível. A Bíblia não classifica toda ira como pecado (Ef 4.26); o que ela condena é o homem genioso, esquentado, de estopim curto, que, além de irar-se com facilidade, também fica remoendo por longo tempo a sua ira.[114] Na língua grega há duas palavras para descrever esse espírito irascível. A palavra *thumos* é aquela ira que surge rapidamente e também com a mesma rapidez vai embora. É a ira "fogo de palha". A segunda palavra é *orge,* que significa uma ira crônica, que se agasalha e se aninha no peito e não cessa de arder.

Um homem que nutre mágoas e ressentimentos em seu coração definitivamente não está preparado para exercer o presbiterato.[115] A palavra grega *orgilos* significa "colérico, apimentado".[116] Hans Burki diz que um valentão colérico ou apimentado em pouco tempo se torna solitário, alguém que tem apenas seguidores submissos, mas não irmãos corresponsáveis.[117]

O presbítero não deve ser dado ao vinho. Nem todos os presbíteros são totalmente abstêmios, mas todos são chamados à temperança e à moderação.[118] A palavra grega *paroinos* significa literalmente ser indulgente com o vinho. A palavra descreve o caráter do homem que, ainda em seus momentos sóbrios, atua com falta de autocontrole como se estivesse bêbado.[119]

Gene Getz nessa mesma linha de pensamento esclarece que *paroinos* descreve um homem que se assenta muito tempo junto ao seu vinho. Em outras palavras, ele bebe demais e, por conseguinte, fica escravizado pelo vinho e perde o controle dos seus sentidos.[120] Embora não ensinem a abstinência total, o Antigo e o Novo Testamento se colocam claramente contra a bebedeira (Pv 23.19-21,29-35; 1Pe 4.2,3).

O apóstolo Paulo é claro quando escreve aos efésios: "E não vos embriagueis com vinho, no qual há dissolução, mas enchei-vos do Espírito" (Ef 5.18). Concordo com William MacDonald quando fala que a Bíblia distingue entre o uso do vinho e seu abuso. Seu uso moderado era uma prática permitida quando Jesus transformou a água em vinho no casamento em Caná da Galileia (Jo 2.1-11). Seu uso com propósitos medicinais foi prescrito por Paulo a Timóteo (1Tm 5.23).

Porém, o abuso do vinho é condenado nas Escrituras (Pv 20.1; 23.29-35; Ef 5.18). Mesmo que a total abstinência não seja exigida nas Escrituras, há uma situação em que

Paulo recomenda a abstinência, ou seja, quando o beber vinho se torna motivo de escândalo para o irmão fraco (Rm 14.21). Talvez seja por essa razão que muitos crentes contemporâneos optaram pela abstinência.[121]

O presbítero não deve ser violento. A palavra grega *plektes* significa literalmente "golpeador". Trata de violência tanto verbal quanto física. O *plektes* é o homem que ameaça e intimida seu semelhante. Aquele, porém, que abandona o amor e recorre à violência em palavras e ações não está preparado para exercer o presbiterato.[122] A Bíblia faz referência a homens que tiveram ímpetos de violência, como Caim, que matou Abel; Moisés, que matou o egípcio; e Pedro, que decepou a orelha de Malco. Essas atitudes são inadequadas na vida de um presbítero. Aquele que governa os outros precisa governar primeiro suas emoções, ações e reações.

O presbítero não deve ser cobiçoso de torpe ganância. A palavra grega *aischorokerdes* descreve a pessoa que não se preocupa com os meios que utiliza para ganhar dinheiro, conquanto que o faça.[123] Uma pessoa gananciosa subscreve a ética jesuítica, de que os fins justificam os meios. Os cretenses eram conhecidos como indivíduos inveteradamente gananciosos. Plutarco, referindo-se a eles, disse que se apegavam ao dinheiro como as abelhas ao mel. Enquanto os falsos mestres ensinam o que não devem por torpe ganância (1.11), os presbíteros precisam ser homens despojados dessa torpe ganância (1.7).

Segundo, *o presbítero deve ser conhecido pelo que ele é e faz* (1.8). Depois de ter falado dos pecados que o presbítero não deve cometer, Paulo alista uma série de virtudes que devem ornar o seu caráter como despenseiro de Deus. William Barclay diz que essas virtudes se agrupam em três seções: as qualidades que o presbítero deve demonstrar ante as outras pessoas, em relação a si mesmo e em relação à igreja.[124]

Vejamos as qualidades que o presbítero deve mostrar diante de outras pessoas.

O presbítero deve ser hospitaleiro. A palavra grega *philoxenos* significa: "amigo das pessoas estrangeiras".[125] No mundo antigo havia muitas pessoas que viajavam, e as pousadas e estalagens eram caras, sujas e imorais. A hospitalidade era e é uma marca dos filhos de Deus. O presbítero precisa ter o coração, o bolso e a casa abertos não apenas para os irmãos, mas também para os estrangeiros.

A hospitalidade é um distintivo do povo de Deus desde a antiga dispensação (Lv 19.33,34). Na nova dispensação essa virtude foi destacada repetidas vezes: "Seja constante o amor fraternal. Não negligencieis a hospitalidade" (Hb 13.1,2).

O apóstolo Pedro escreveu: "Sede, mutuamente, hospitaleiros, sem murmuração" (1Pe 4.9). Muitos, sem saber, hospedaram anjos. Não apenas nós devemos estar a serviço do Reino de Deus, mas também a nossa casa.

O presbítero deve ser amigo do bem. A palavra grega *philagathos* significa amante ou amigo do bem, das coisas boas ou das pessoas boas.[126] O presbítero precisa ser um homem amante das boas ações. Precisa ver o que existe de melhor nas pessoas. Ele não tem prazer mórbido de falar mal dos outros, mas tem grande deleite em dizer o bem das pessoas. Ele não apenas chora com os que choram, mas também se alegra com os que se alegram.

Vejamos, agora, as qualidades que o presbítero deve ter em relação a si mesmo.

O presbítero deve ser sóbrio. A palavra grega *sophron* descreve o homem que tem domínio completo sobre suas paixões e desejos, o que o impede de ir além do que a lei e a razão lhe permitem e aprovam. Essa virtude era considerada pelos gregos a pedra fundamental da virtude.[127] Carl Spain diz que essa palavra traz a ideia de uma espécie de sabedoria prática que se reflete na aplicação da ética cristã à vida diária com outros.[128]

O presbítero deve ser justo. A palavra grega *dikaios* descreve o homem que concede a Deus e aos homens o que lhes é devido.[129] O presbítero é um homem que não usa dois pesos e duas medidas. Ele não faz acepção de pessoas nem tolera preconceitos. Ele é justo no falar e no agir.

O presbítero deve ser piedoso. A palavra grega *hosios* descreve o homem que reverencia a decência fundamental da vida, as coisas que vão além de qualquer lei ou norma feita pelo homem.[130] Deus não usa grandes talentos, mas homens piedosos. Nós somos o método de Deus. Nós estamos à procura de melhores métodos, e Deus está à procura de melhores homens. Deus não unge métodos, unge homens piedosos.

O presbítero deve ter domínio próprio. A palavra grega *egkrates* significa "dono de si mesmo".[131] Descreve a pessoa que tem completo autocontrole. Ninguém está apto para liderar os outros se não tem domínio de si mesmo. Aquele que domina a si mesmo é mais forte do que aquele que domina uma cidade.

Finalmente, vejamos a relação do presbítero com a igreja. Essa relação se evidencia no seu ministério de ensino da Palavra. Esse ponto será esclarecido no tópico seguinte.

Em terceiro lugar, *o presbítero precisa ser irrepreensível como mestre da Palavra* (1.9). O presbítero precisa ser um homem íntegro na sua relação com a família, com o próximo e com as Escrituras. Deve ser um obreiro aprovado e manejar bem a Palavra da verdade. Paulo menciona aqui três coisas importantes:

O presbítero precisa demonstrar fidelidade doutrinária. O presbítero precisa ser "[...] apegado à palavra fiel, que é segundo a doutrina..." (1.9). O presbítero não pode ser um neófito (1Tm 3.6); deve ser um mestre na Palavra. Ele precisa ser um estudioso das Escrituras. Ele precisa afadigar-se na Palavra (1Tm 5.17). Paulo diz que os presbíteros têm dois ministérios com respeito à Palavra de Deus: 1) edificar a igreja pela sã doutrina; 2) rejeitar os falsos mestres que espalham doutrinas perniciosas.[132]

O presbítero precisa demonstrar capacidade para o ensino. Paulo prossegue: "[...] de modo que tenha poder [...] para exortar pelo reto ensino..." (1.9). O poder para exortar não vem da força, das técnicas da psicologia nem mesmo do ofício que o presbítero ocupa, mas do conhecimento da verdade para aplicar corretamente as Escrituras. A exortação não é fruto de capricho ou opinião pessoal do presbítero, mas do reto ensino das Escrituras. Sua exortação está fundamentada no reto ensino da verdade.

O presbítero precisa demonstrar habilidade na apologética. Paulo diz que o presbítero precisa ter "[...] poder [...] para convencer os que o contradizem" (1.9). Somente um indivíduo que tem destreza na verdade pode confrontar os falsos mestres, combater os falsos ensinos e convencer aqueles que contradizem a Palavra de Deus.

John Stott está correto quando diz que refutar não é apenas contradizer os oponentes, mas vencê-los pela argumentação.[133] O presbítero precisa ser um estudioso das Escrituras para distinguir o falso do verdadeiro e o precioso do vil.

As características dos falsos mestres, os lobos que devoram o rebanho (1.10-16)

Depois de falar dos atributos dos verdadeiros mestres, Paulo passa a descrever as características dos falsos mestres.

John Stott, comentando esse texto, pontua quatro características desses falsos mestres.[134] Vamos aqui considerá-las.

Em primeiro lugar, *a identidade dos falsos mestres* (1.10). Havia muitos falsos mestres, especialmente os da circuncisão, ou seja, os judaizantes. Paulo menciona duas facetas desses falsos mestres.

Eles eram insubordinados (1.10). Os falsos mestres eram rebeldes e falastrões. Enquanto os presbíteros se colocavam debaixo da autoridade das Escrituras, eles se insurgiam contra ela e faziam isso com palavras insolentes e vazias. Essa palavra era usada para descrever soldados infiéis que se negavam a obedecer às ordens de seus comandantes. Os falsos mestres de igual forma se negavam a obedecer à sã doutrina e à liderança constituída da igreja.[135]

Eles eram enganadores (1.10). A vida deles era errada e a doutrina deles era falsa. Sua palavra não apenas deixava de edificar; ela de fato levava ao erro.[136] Em vez de levar os homens à verdade, esses falsos mestres os faziam afastar-se dela. Em vez de firmar as pessoas na fé, os desviavam dela. Os judaizantes negavam a eficácia do sacrifício de Cristo na cruz e a suficiência da graça para a salvação e exigiam a necessidade da observância de ritos judaicos para a pessoa ser salva.

Em segundo lugar, *a influência dos falsos mestres* (1.11). Três fatos devem ser aqui destacados:

Eles eram proselitistas quanto ao ensino (1.11). Esses falsos mestres eram itinerantes que saíam de casa em casa espalhando o veneno letal de sua falsa doutrina, tentando enredar os novos convertidos com seu falacioso e enganoso ensino. O ensino desses falsos mestres era fundamentalmente transtornador em vez de ser transformador. Eles não buscavam os pagãos nem queriam fazer discípulos entre os que viviam perdidos na mais tosca imoralidade, mas iam atrás daqueles que haviam abraçado a fé cristã para desviá-los da sã doutrina. Ainda hoje as seitas heréticas seguem a mesma trilha.

Eles eram corruptores quanto à moral (1.11). Pervertiam casas inteiras. Sua influência era corruptora. Eles tinham má influência sobre a vida familiar. Como naquele tempo as igrejas se reuniam nas casas, eles pervertiam não apenas famílias inteiras, mas solapavam as igrejas com seu veneno mortífero. A doutrina deles produzia perversão, e não santidade; escravidão, e não liberdade; morte, e não vida.

Eles eram gananciosos quanto à motivação (1.11). Andavam de casa em casa, ensinando suas heresias, interessados não na vida espiritual das pessoas, mas no seu dinheiro. Esses falsos mestres não ministravam à igreja; usavam a religião para encher o próprio bolso. O vetor desses falsos mestres era o dinheiro e o lucro. Os falsos mestres não eram movidos pelo desejo de servir a Deus ou ao próximo. Eles buscavam avidamente os "lucros sórdidos".[137] Não eram pastores do rebanho, mas lobos que procuravam devorar as ovelhas.

A ordem de Paulo é que esses falsos mestres precisavam ser silenciados. "É preciso fazê-los calar..." (1.11). Esse era um termo extremamente forte, cujo sentido refere-se a um tipo de mordaça usada para manter fechada a boca de cães ferozes.[138]

Corroborando com essa ideia, Kelly afirma que o verbo grego *epistomazein* significa colocar uma mordaça, e não simplesmente um freio, na boca de um animal.[139] Calvino diz que um bom presbítero (pastor) deve estar alerta para não permitir mediante seu silêncio que as doutrinas enganosas e prejudiciais avancem gradualmente, nem que os homens perversos tenham oportunidade de propagá-las.[140]

Em terceiro lugar, *o caráter dos falsos mestres* (1.12,13). Paulo, citando Epimênides[141] de Cnosso, um poeta, mestre religioso e taumaturgo cretense do século 6 a.C., traça um perfil dos falsos mestres, falando sobre três características de seu pervertido caráter.

Eles eram mentirosos (1.12). Não apenas estavam desprovidos da verdade, mas eram embaixadores da mentira. Esse conceito predominava tanto que o verbo "cretizar" era uma palavra da gíria para "mentir" ou "enganar".[142] Como o diabo é o pai da mentira, esses falsos mestres estavam a serviço do diabo, e não a serviço de Deus. Eles eram embaixadores do engano, e não da verdade. Eles eram agentes da morte, e não promotores da vida.

Eles eram violentos (1.12). Os cretenses não eram apenas mentirosos, mas também violentos. Eram "feras terríveis". Eram truculentos em palavras e atitudes.

Eles eram glutões preguiçosos (1.12). Os cretenses não eram dados ao trabalho. Eram glutões e preguiçosos. Viviam para o prazer imediato. Eram hedonistas inveterados. William MacDonald diz que os cretenses eram alérgicos ao trabalho e viciados em glutonaria.[143]

Em quarto lugar, *os erros dos falsos mestres* (1.14-16). Paulo menciona três erros graves que caracterizavam os falsos mestres.

Eles eram legalistas quanto à teologia (1.13b,14). Davam muita importância aos mandamentos, regras e preceitos fabricados por homens em vez de serem fiéis à Palavra de

Deus. Kelly diz que é razoavelmente certo que o que Paulo tem em mente são exigências judeu-ascéticas (proibição do casamento e o repúdio a certos alimentos) tais quais estão subentendidos em 1Timóteo 4.3-6.[144]

O profeta Isaías havia alertado para esse pecado (Is 29.13). Jesus também denunciou esse mesmo erro nos fariseus, dizendo que "[...] não é o que entra pela boca o que contamina o homem, mas o que sai da boca, isto, sim, contamina o homem" (Mt 15.11; Mc 7.15). Assim, esses falsos mestres adoravam a Deus em vão, ensinando doutrinas que são preceitos de homens (Mc 7.7,8).

Paulo, igualmente, pontuou esse mesmo pecado em sua carta aos colossenses (Cl 2.22) e aos romanos (Rm 14.20). Os falsos mestres criavam longas listas de pecados. Era pecado tocar isto ou aquilo; era pecado comer esta ou aquela comida. As coisas que eram boas em si mesmas eles as transformavam em coisas contaminadas e impuras.

Eles eram corrompidos quanto ao julgamento (1.15). William MacDonald diz que, se nós pegarmos as palavras "para os puros todas as coisas são puras" fora do contexto, como uma verdade absoluta em todas as áreas da vida, estaremos encrencados. Todas as coisas não são essencialmente puras, mesmo para aqueles que têm a mente pura.

Muitas pessoas têm inescrupulosamente usado esse texto para justificar comportamentos reprováveis, vendo, ouvindo e manuseando coisas vergonhosas. Essas pessoas deturpam as Escrituras para a própria ruína (2Pe 3.16).[145]

Nessa mesma linha de pensamento William Hendriksen orienta que a expressão "todas as coisas" deve ser entendida no seu contexto, ou seja, tudo o que Deus criou para ser consumido como alimento (1Tm 4.3-5). Não é a coisa impura que faz o homem ser impuro, como equivocadamente sustentavam os judeus (Jo 18.28), mas são os homens impuros os que fazem com que todo o puro seja impuro (Ag 2.13).[146]

Os falsos mestres davam mais valor à pureza aparente e ritual do que à pureza interior e moral. Eles proibiam o que Deus aprovava. Porque viviam atolados na impureza, julgavam tudo como impuro. Refletiam a si mesmos em tudo o que viam. William Barclay está correto quando diz que, se alguém é puro em seu coração, todas as coisas são puras para ele. Se o coração é impuro, torna impuro tudo o que pensa, fala ou toca.[147] A pessoa que tem a mente suja faz com que todas as coisas sejam sujas.

Concordo com a advertência de Warren Wiersbe de que o cristão que se entrega a práticas eróticas pecaminosas e diz que são puras porque seu coração é puro usa a Palavra de Deus como desculpa para pecar. Pelo contexto, sabemos que Paulo aplica essa declaração aos alimentos e devemos ter cuidado para não generalizar.[148]

Eles eram inconsistentes quanto ao testemunho (1.16). Visto que os hereges cretenses eram judaizantes, é possível que o apóstolo Paulo esteja criticando a pressuposição complacente de que eles eram uma elite com um conhecimento privilegiado de Deus.[149] Havia separação e dicotomia entre sua teologia e sua vida, entre a doutrina e o dever, entre a confissão e a prática. Seu conhecimento não produzia mudança no seu caráter. Diziam conhecer a Deus, mas negavam a Deus na sua conduta.

John Stott declara acertadamente que não podemos afirmar aquilo que negamos, nem negar o que afirmamos. Fazer isso é, no mínimo, a essência da hipocrisia, porque desse modo professamos Deus com palavras e o negamos com nossos atos. Isso é um ritual desprovido de realidade;

é ter aparência sem poder; declarações sem caráter; fé sem obras.[150]

Paulo diz que o resultado dessa inconsistência é a abominação. A palavra grega *bdeluktos*, "abominável", é utilizada particularmente para referir-se aos ídolos e às imagens pagãs. Há algo de repulsivo na pessoa com uma mente hipócrita e obscena.[151] Kelly diz que essa palavra denota o que causa horror e nojo a Deus.[152] Essas pessoas hipócritas são abomináveis para Deus. São desobedientes e reprovadas para toda boa obra.

A palavra grega *adokimos*, "reprovado", descreve uma moeda falsificada. É utilizada para descrever um soldado covarde que foge na hora da luta. É usada para descrever um indivíduo inútil e sem valor. É a palavra usada para descrever uma pedra defeituosa que os construtores rejeitavam.

Quando uma pessoa tem uma mente impura e uma vida inconsistente, sua vida não é útil para Deus nem para o seu semelhante.[153] Sua religião não passa de um embuste. John Stott está coberto de razão quando enfatiza: "A verdadeira religião é divina em sua origem, espiritual em sua essência e moral em seus efeitos".[154]

A mensagem precisa ser uma ponte entre o texto antigo e o leitor contemporâneo. Sendo assim, o que poderíamos aprender com o texto em tela? Destacamos dois pontos axiais.

A igreja não pode ficar na defensiva, mas precisa ser proativa. Diante da multiplicação dos falsos mestres e da disseminação de suas heresias nas igrejas, Paulo não ficou silencioso nem inerte, mas trabalhou no sentido de multiplicar os verdadeiros mestres, elegendo presbíteros sãos na fé e irrepreensíveis na conduta para ensinarem a verdade. Só podemos combater o erro com a verdade.

Só podemos neutralizar as trevas com a luz. Aqueles que andam no erro precisam ser convencidos pela verdade (1.9), precisam ser silenciados (1.11) e repreendidos severamente "[...] para que sejam sadios na fé" (1.13).

A igreja precisa velar pelas suas instituições de ensino. Não poderia expressar esse ponto melhor do que John Stott. Acompanhe suas palavras:

> A principal instituição da igreja é o seminário ou faculdade teológica. Em cada país, a igreja reflete o que são seus seminários. Todos os futuros pastores e mestres da igreja passam pelo seminário. É ali que eles se formam ou "se estragam", é ali que recebem toda a sua bagagem para a vida ministerial e são inspirados, ou são afetados negativamente. Portanto, importa que os seminários de todo o mundo se firmem na fé evangélica, tenham um nível acadêmico excelente e se pautem pela piedade pessoal. Não há melhor estratégia do que essa para a reforma e a renovação da igreja.[155]

NOTAS DO CAPÍTULO 3

[89] RIENECKER, Fritz, Rogers, Cleon. *Chave Linguística do Novo Testamento Grego.* São Paulo: Vida Nova, 1985, p. 482.

[90] WIERSBE, Warren W. *Comentário bíblico expositivo*, p. 338.

[91] SPAIN, Carl. *Epístolas de Paulo a Timóteo e Tito*, p. 188.
[92] STOTT, John. *A mensagem de 1Timóteo e Tito*, p. 177.
[93] STOTT, John. *A mensagem de 1Timóteo e Tito*, p. 178.
[94] MACDONALD, William. *Believer's Bible commentary*, p. 2.134.
[95] WIERSBE, Warren W. *Comentário bíblico expositivo*, p. 338.
[96] STOTT, John. *A mensagem de 1Timóteo e Tito*, p. 178.
[97] MACDONALD, William. *Believer's Bible commentary*, p. 2.134,2.135.
[98] STOTT, John. *A mensagem de 1Timóteo e Tito*, p. 179.
[99] CALVINO, Juan. *Comentarios a las epístolas pastorales de San Pablo*, p. 337.
[100] CALVINO, Juan. *Comentarios a las epístolas pastorales de San Pablo*, p. 337,338.
[101] KELLY, J. N. D. *I e II Timóteo e Tito*, p. 210.
[102] ERDMAN, Carlos R. *Las epístolas pastorales a Timoteo y a Tito*, p. 155.
[103] MACDONALD, William. *Believer's Bible commentary*, p. 2.136.
[104] STOTT, John. *A mensagem de 1Timóteo e Tito*, p. 180.
[105] BURKI, Hans. *Carta aos Tessalonicenses, Timóteo, Tito e Filemom*, p. 397.
[106] WIERSBE, Warren W. *Comentário bíblico expositivo*, p. 338.
[107] RIENECKER, Fritz; ROGERS, Cleon. *Chave linguística do Novo Testamento Grego*, p. 482.
[108] BARCLAY, William. *I y II Timoteo, Tito y Filemon*, p. 245.
[109] BURKI, Hans. *Carta aos Tessalonicenses, Timóteo, Tito e Filemom*, p. 397.
[110] STOTT, John. *A mensagem de 1Timóteo e Tito*, p. 181.
[111] RIENECKER, Fritz; Rogers, Cleon. *Chave linguística do Novo Testamento Grego*, p. 482.
[112] GETZ, Gene A. *A medida de um homem espiritual*, p. 71.
[113] BARCLAY, William. *I y II Timoteo, Tito y Filemon*, p. 247.
[114] GETZ, Gene A. *A medida de um homem espiritual*, p. 78,79.
[115] BARCLAY, William. *I y II Timoteo, Tito y Filemon*, p. 247.
[116] STOTT, John. *A mensagem de 1Timóteo e Tito*, p. 181.
[117] BURKI, Hans. *Carta aos Tessalonicenses, Timóteo, Tito e Filemom*, p. 398.
[118] STOTT, John. *A mensagem de 1Timóteo e Tito*, p. 181.
[119] BARCLAY, William. *I y II Timoteo, Tito y Filemon*, p. 247.
[120] GETZ, Gene A. *A medida de um homem espiritual*. São Paulo: Editora Literatura Evangélica Internacional, 1977, p. 64.
[121] MACDONALD, William. *Believer's Bible commentary*, p. 2.136.
[122] BARCLAY, William. *I y II Timoteo, Tito y Filemon*, p. 248.

[123] BARCLAY, William. *I y II Timoteo, Tito y Filemon*, p. 248.
[124] BARCLAY, William. *I y II Timoteo, Tito y Filemon*, p. 248-250.
[125] BARCLAY, William. *I y II Timoteo, Tito y Filemon*, p. 249.
[126] BARCLAY, William. *I y II Timoteo, Tito y Filemon*, p. 249.
[127] BARCLAY, William. *I y II Timoteo, Tito y Filemon*, p. 249.
[128] SPAIN, Carl. *Epístolas de Paulo a Timóteo e Tito*, p. 192.
[129] BARCLAY, William. *I y II Timoteo, Tito y Filemon*, p. 249.
[130] BARCLAY, William. *I y II Timoteo, Tito y Filemon*, p. 249.
[131] BARCLAY, William. *I y II Timoteo, Tito y Filemon*, p. 249.
[132] WIERSBE, Warren W. *Comentário bíblico expositivo*, p. 339.
[133] STOTT, John. *A mensagem de 1 Timóteo e Tito*, p. 182.
[134] STOTT, John. *A mensagem de 1 Timóteo e Tito*, p. 184-189.
[135] BARCLAY, William. *I y II Timoteo, Tito y Filemon*, p. 251.
[136] STOTT, John. *A mensagem de 1 Timóteo e Tito*, p. 184.
[137] KELLY, J. N. D. *I e II Timóteo e Tito*, p. 213.
[138] *Notas de Tito 1.11 do Novo Testamento King James*. São Caetano do Sul: SRG, 2007, p. 511.
[139] KELLY, J. N. D. *I e II Timóteo e Tito*, p. 212,213.
[140] CALVINO, Juan. *Comentarios a las epístolas pastorales de San Pablo*, p. 344.
[141] RICHARDSON, Don. *O fator Melquisideque*. São Paulo: Vida Nova, 1986, p. 19.
[142] KELLY, J. N. D. *I e II Timóteo e Tito*, p. 213.
[143] MACDONALD, William. *Believer's Bible commentary*, p. 2.138.
[144] KELLY, J. N. D. *I e II Timóteo e Tito*, p. 215.
[145] MACDONALD, William. *Believer's Bible commentary*, p. 2.138.
[146] HENDRIKSEN, Guillermo. *1 e 2 Timoteo y Tito*, p. 404.
[147] BARCLAY, William. *I y II Timoteo, Tito y Filemon*, p. 255.
[148] WIERSBE, Warren W. *Comentário bíblico expositivo*, p. 341.
[149] KELLY, J. N. D. *I e II Timóteo e Tito*, p. 215.
[150] STOTT, John. *A mensagem de 1 Timóteo e Tito*, p. 187.
[151] BARCLAY, William. *I y II Timoteo, Tito y Filemon*, p. 256.
[152] KELLY, J. N. D. *I e II Timóteo e Tito*, p. 216.
[153] BARCLAY, William. *I y II Timoteo, Tito y Filemon*, p. 257.
[154] STOTT, John. *A mensagem de 1 Timóteo e Tito*, p. 187.
[155] STOTT, John. *A mensagem de 1 Timóteo e Tito*, p. 188.

Capítulo 4

Como aplicar a doutrina na vida familiar
(Tt 2.1-10)

PAULO CONTRASTA OS FALSOS MESTRES (1.11-16), com o verdadeiro mestre (2.1). A expressão grega *sy de*, "Tu, porém",[156] destaca que Tito deveria se distinguir dos falsos mestres tanto na doutrina quanto na conduta, tanto na teologia quanto na ética.

Os falsos mestres não viviam o que pregavam. Havia um abismo entre o que eles falavam e o que eles faziam. Tito deveria agir de forma diametralmente oposta aos falsos mestres. John Stott diz que não poderia haver contradição entre a teologia e a ética de Tito. Não poderia existir dicotomia entre o seu ensino e o seu comportamento.[157]

Concordo com Kelly quando diz que Paulo é absolutamente prático nessa passagem, mas não oculta sua convicção de que a base do bom comportamento é a crença correta.[158]

Nesse capítulo 2, Paulo se volta para a supervisão pastoral das comunidades cretenses, direcionando suas exortações a grupos selecionados por idade, sexo e posição social. Ao requerer de cada um dos grupos um alto padrão de conduta, demonstra sua preocupação tanto com a boa reputação da igreja quanto com o avanço do evangelho num ambiente de moralidade duvidosa.[159] Em vez dos crentes negarem a fé em Deus agindo como os falsos mestres, deveriam professá-la por meio da conduta.[160]

Destacamos quatro pontos absolutamente relevantes, à guisa de introdução.

Em primeiro lugar, *a melhor maneira de combater a heresia é ensinar a verdade*. "Tu, porém, fala o que convém à sã doutrina" (2.1). A sã doutrina tem a ver com a totalidade dos ensinamentos dados por Deus à igreja, por meio de sua Palavra revelada.

John Stott diz que a palavra *hygiainouse*, "sã", significa "estar saudável; ser íntegra". Essa palavra é com frequência usada nos evangelhos com respeito a pessoas que, tendo sido curadas de algum defeito físico ou de uma incapacidade, agora estão "totalmente sadias", com todos os seus órgãos e faculdades funcionando normalmente.[161] Stott ainda esclarece:

> A doutrina cristã é saudável do mesmo modo que o corpo humano é saudável, pois a doutrina cristã assemelha-se ao corpo humano. É um bem ordenado sistema contendo diferentes partes que se relacionam entre si e que, juntas, constituem um harmonioso conjunto. Portanto, se a nossa teologia está mutilada (faltando nela algumas partes) ou enferma (com partes contaminadas), então ela não está "sã", não está "saudável". O que Paulo quer dizer com a expressão "sã doutrina" é,

então, o que em outra parte ele se referiu como "todo o desígnio de Deus", a plenitude da revelação divina.[162]

Não basta à igreja assumir um papel crítico e denunciar as heresias dos falsos mestres e seu desvio de caráter; é preciso, sobretudo, proclamar a verdade. Combate-se o fogo estranho com o fogo verdadeiro. Combate-se a heterodoxia com a ortodoxia. Combate-se a heresia com a verdade. Em vez de Tito apenas ficar na retranca e na defesa contra os falsos mestres, deveria partir para o ataque, proclamando a sã doutrina.

Muitos mestres da verdade perdem o foco ao gastar todo o tempo e energia combatendo o erro e denunciando as peripécias tresloucadas dos falsos mestres. Porém, são remissos em anunciar a sã doutrina. Certa feita, alguém perguntou a um alto funcionário de um grande banco, especialista em identificar notas falsas, qual era o seu critério para identificá-las. Ele respondeu: "Eu não sou um especialista em notas falsas; sou um especialista em notas verdadeiras. Eu as estudo cuidadosamente. Assim, identifico as falsas". Quando conhecemos, vivemos e anunciamos a sã doutrina, desmascaramos a falsa doutrina ao mesmo tempo que a combatemos.

Em segundo lugar, *a melhor maneira de reprovar a vida desregrada é viver de modo irrepreensível* (2.7). É importante ressaltar que Tito deveria falar o que convém à sã doutrina, ou seja, as práticas que dela decorrem (2.1). John Stott está coberto de razão quando afirma que há um elo indestrutível que liga a doutrina cristã com as práticas cristãs, a teologia com a ética.[163] Calvino chega a afirmar que a "sã doutrina" consiste em duas partes. A primeira é a que magnifica a graça de Deus em Cristo, da qual podemos aprender onde buscar nossa salvação; e a segunda é aquela por meio da qual a vida se exercita no temor de Deus, e na conduta cristã.[164]

Tito estava em Creta não apenas para ensinar a sã doutrina, mas para ser um modelo de vida irrepreensível. As pessoas egressas de um paganismo tosco, imaturas na fé e ainda encurraladas por falsos mestres precisavam de ensino verdadeiro e de exemplo irrepreensível. Tito deveria imprimir na vida das pessoas as marcas de uma vida santa, justa e piedosa.

Em terceiro lugar, *doutrina e vida precisam sempre andar de mãos dadas* (2.7). Tito deveria ser modelo de boas obras e também mostrar integridade no ensino. A verdade produz integridade. Teologia e vida andam juntas. Doutrina e dever caminham lado a lado. Ortodoxia e piedade são inseparáveis. A doutrina desemboca no dever. A teologia é mãe da ética. A vida é consequência da fé. Assim como um homem crê, assim ele é.

Não é possível ter vida santa sem doutrina pura. Não é possível ter piedade sem ortodoxia. Não é possível desprezar a verdade e viver uma vida agradável a Deus. Sempre que a igreja separou a doutrina da vida, os resultados foram desastrosos. Ortodoxia sem vida é ortodoxia morta, e ortodoxia morta mata. Não há nada mais escandaloso do que alguém professar uma coisa e viver outra; ser exigente com os outros e indulgente consigo mesmo.

Em quarto lugar, *a sã doutrina precisa moldar a vida familiar em todos os seus aspectos* (2.2-10). Paulo ordena a aplicação da doutrina a vários segmentos da família, classificando-a por gênero, idade e posição social. Idosos e jovens, solteiros e casados, líderes e servos, devem viver de acordo com a sã doutrina, ornando assim a doutrina de Deus (2.5,10).

Os preceitos de Deus para os homens idosos (2.2)

Os homens idosos são citados primeiro, porque deveriam ser os pioneiros a aplicar a sã doutrina. A vida deles deveria recomendar a doutrina que professavam. Glenn Gould diz corretamente que o evangelho de Cristo tem de mudar a maneira das pessoas pensar e dar frutos em uma vida transformada. Era essa transformação poderosa que tornava a igreja primitiva invencível. Como foi que a igreja derrotou o paganismo fortificado do império romano? A resposta é que os cristãos sobrepujavam os pagãos na vida, na morte e nos conceitos.[165] Os homens idosos deveriam demonstrar quatro virtudes cardeais:

Em primeiro lugar, *deveriam ter domínio próprio*. "Quanto aos homens idosos, que sejam temperantes..." (2.2). Essa palavra tem a ver com o domínio do vinho. A palavra grega *nephalios* significa literalmente sóbrio em contraposição a ser muito indulgente com o vinho.[166] Trata-se de uma pessoa que tem seus apetites sob controle. A falta de disciplina e de limites em qualquer área da vida e o uso imoderado do vinho causavam muitos transtornos na comunidade cristã da ilha de Creta. Concordo com William Barclay quando diz que os prazeres desenfreados custam muito mais do que valem.[167]

Em segundo lugar, *deveriam ter reputação aprovada*. "Quanto aos homens idosos que sejam [...] respeitáveis..." (2.2). Trata-se de uma pessoa que tem vida ilibada, caráter impoluto, bom testemunho dos de fora. É uma pessoa que não tem brechas no escudo da sua fé. Alguém que não pode ser acusado de escândalo.

A palavra grega aqui é *semmos*, cujo significado é "comportamento solene e austero". Não se trata daquela pessoa que nunca sorri, mas daquela pessoa que vive à luz da eternidade, sabendo que Deus nos acompanha com o seu olhar.[168] Não podemos confundir seriedade com carranca.

Em terceiro lugar, *deveriam ter equilíbrio nas atitudes*. "Quanto aos homens idosos que sejam [...] sensatos..." (2.2). Trata-se daquela pessoa que mede suas palavras, seus gestos, suas ações e suas reações. A palavra grega aqui é *sophron* e descreve o homem que vive sob controle, que sabe governar cada instinto e paixão.[169]

Em quarto lugar, *deveriam ter maturidade espiritual*. "Quanto aos homens idosos que sejam [...] sadios na fé, no amor e na constância" (2.2). Fé, amor e esperança são a trilogia neotestamentária da maturidade cristã. Hans Burki diz que a tríade de fé, amor e esperança sintetiza o mais íntimo cerne daquilo que o evangelho significa.[170] A maturidade cristã tem a ver com a teologia que abraçamos, com o nosso relacionamento com Deus e com os irmãos e, também, com a maneira que nos comportamos diante das pressões da vida.

Os preceitos de Deus para as mulheres idosas (2.3,4)

"Quanto às mulheres idosas, semelhantemente...". A palavra "semelhantemente" acentua que as virtudes elencadas no versículo anterior devem ser observadas também pelas mulheres idosas. Paulo destaca duas coisas importantes que devem caracterizar as mulheres idosas.

Em primeiro lugar, *elas devem ser cuidadosas quanto à maneira de viver* (2.3a). Paulo escreve: "Que sejam sérias em seu proceder, não caluniadoras, não escravizadas a muito vinho..." (2.3a). Quanto ao aspecto positivo as mulheres idosas devem ter um procedimento irretocável, exemplar. A idade avançada nos torna mais responsáveis.

Como aplicar a doutrina na vida familiar

Quanto ao aspecto negativo, as mulheres idosas devem evitar dois sérios pecados:

O pecado da maledicência. A palavra grega usada para descrever "caluniadoras" é *diabolos*. O diabo é o patrono das pessoas que se entregam à calúnia, à fofoca e à maledicência. William MacDonald diz que a palavra grega *diabolos* é um termo apropriado, uma vez que a maledicência é diabólica em sua fonte e caráter.[171] As mulheres idosas não devem falar mal pelas costas nem ser boateiras. Nada é mais pernicioso para a vida da igreja do que o pecado da língua. Tiago diz que a língua é fogo e veneno. A língua fere, destrói e mata (Tg 3.1-11). Salomão diz que "a morte e a vida estão no poder da língua" (Pv 18.21). Podemos matar ou dar vida a um relacionamento dependendo da maneira pela qual nos comunicamos.

O pecado da embriaguez. A embriaguez é um vício degradante em todas as pessoas, mas quando mulheres que deveriam ser exemplo de conduta capitulam-se à embriaguez, isso se constitui num terrível escândalo.

Em segundo lugar, *elas devem ser cuidadosas quanto à maneira de ensinar* (2.3b,4). Paulo conclui: "[...] sejam mestras do bem, a fim de instruírem as jovens recém-casadas a amarem seus maridos e a seus filhos" (2.3b,4). As mulheres idosas deveriam não apenas praticar o bem, mas ser mestras do bem. Deveriam não apenas ser exemplo, mas também instruir as jovens recém-casadas a amar seus maridos e filhos. Esse ensino desenrola-se na dinâmica da vida. John Stott tem razão ao alertar que há grande necessidade, em toda congregação, do ministério de mulheres maduras e piedosas.[172] Concordo com Warren Wiersbe quando diz que a igreja precisa tanto dos mais velhos quanto dos mais jovens, e uns devem ministrar aos outros.[173]

A palavra grega usada aqui é *kalodidaskalous,* que significa "mestre do bem, professor de boas coisas". A palavra não se refere à instrução formal, mas, sim, ao conselho e encorajamento que elas podem dar em particular, pela palavra e exemplo.[174] Não se trata aqui de um ensino formal, mas de pedagogia que se desenvolve na urdidura da vida.

É importante destacar que a instrução só pode acontecer onde existe comunicação e comunhão. É preciso construir pontes de comunicação entre os idosos e os jovens. O conflito de gerações precisa ser resolvido antes que a instrução logre êxito.

Os preceitos de Deus para as mulheres jovens (2.4b,5)

As mulheres jovens recebem seis instruções importantes das mulheres mais idosas. Na igreja deve haver espaço tanto para o ensino formal quanto para o informal. Tanto homens quanto mulheres desempenham esse papel fundamental. Que instruções as jovens recém-casadas deveriam receber?

Em primeiro lugar, *deveriam amar o marido e os filhos* (2.4b). Paulo deu várias instruções para o marido amar a esposa da mesma forma que Cristo ama a igreja (Ef 5.25-33; Cl 3.19). Em todas as ocasiões, a palavra grega usada é *ágape,* o amor incondicional, sacrificial. Porém, quando a Bíblia fala que a mulher deve amar o marido e os filhos, usa o amor *philéo.* As palavras *philandros* e *philoteknos* indicam que as mulheres jovens devem ser amorosas com o marido e filhos respectivamente. As jovens recém-casadas não devem negligenciar o marido e os filhos por nenhuma razão.

Albert Barnes está correto quando diz que toda a felicidade conjugal está baseada no amor mútuo. Nenhuma riqueza ou luxo, nenhuma habitação esplendorosa ou conforto, nenhuma posição social ou prazer especial pode ser compensação pela falta de amor no casamento. Quando esse amor reina, até mesmo o casebre mais humilde pode ser o palco da felicidade mais sublime.[175]

Em segundo lugar, *deveriam ser sensatas* (2.5). A palavra grega *sophronas* descreve uma pessoa que tem domínio próprio, autocontrole. É a pessoa que domina suas paixões em vez de ser dominada por elas. É a pessoa que está com o leme da vida em suas mãos e não alguém desgovernado nos mares revoltos da vida.

Em terceiro lugar, *deveriam ser honestas* (2.5). A palavra grega *hagnos* descreve aqui a pureza moral no matrimônio. As mulheres deveriam ser "puras de mente e coração".[176] Elas deveriam fechar todas as janelas da tentação e do desejo proibido. Deveriam fugir de toda circunstância perigosa. Cresce espantosamente na cultura ocidental a infidelidade conjugal. Muitos cônjuges contemporâneos abrem todas as cortinas da alma para nelas entrar o clarão dos desejos ilícitos. Abastecem a mente com coisas impuras. Navegam nas águas turvas dos *sites* perniciosos. Entabulam longas conversas virtuais com estranhos e fecham os canais de comunicação dentro do próprio lar.

Em quarto lugar, *deveriam ser boas donas de casa* (2.5). A palavra grega *oikourgos,* traduzida por "boas donas de casa", significa literalmente "trabalhando em casa".[177] Paulo está combatendo aqui aquele estilo de vida ocioso de algumas mulheres que viviam andando de casa em casa, adotando um estilo de vida fútil (1Tm 5.13).

John Stott é da opinião que não seria legítimo tomar esse versículo como base para estabelecer a condição de permanecer em casa como um estereótipo para todas as mulheres, ou para proibir as esposas de terem uma atividade profissional. O que de fato é afirmado é que a mulher que aceita a vocação do casamento e tem marido e filhos deve amá-los, e não negligenciá-los. Assim, Paulo está se opondo não a que a mulher tenha uma profissão, mas ao fato tão corriqueiro de se tornar ociosa e ficar indo de casa em casa.[178]

Hoje, o contexto é outro. Há muitas mulheres que negligenciam o marido, os filhos, a casa e desperdiçam seu precioso tempo andando de loja em loja, comprando o que não precisam, com o dinheiro que não têm, para impressionar pessoas que não conhecem.

Em quinto lugar, *deveriam ser bondosas* (2.5). A bondade é atitude de investir o melhor da vida na vida dos outros. O único homem que é chamado de "bom" na Bíblia é Barnabé (At 11.24). A marca desse homem foi investir na vida daqueles que haviam sido rejeitados. Ele investiu na vida de Saulo depois que foi rejeitado em Jerusalém pelos discípulos (At 9.26,27) e na vida de João Marcos, depois que Paulo se recusou a aceitá-lo na caravana da segunda viagem missionária (At 15.36-39).

Em sexto lugar, *deveriam ser sujeitas ao marido* (2.5). A submissão é uma palavra extremamente distorcida e desgastada atualmente. Há muitos maridos que se valem dessa ordem paulina para oprimirem sua mulher. Entretanto, há muitas mulheres que sentem urticária ao ouvir que precisam se sujeitar a seu marido. Há aqueles que ainda pensam que a sujeição da mulher a seu marido implica inferioridade daquela a este. Isso é um engano. Assim como Deus, o Filho, não é inferior a Deus, o Pai; assim também, a mulher não é inferior ao marido (1Co 11.3).

Hans Burki está correto quando diz que não se trata aqui de uma subserviente e dócil rendição a tudo o que o marido exige. Ela administrará o lar com bondade e em concordância com a vontade do marido, não sem ele nem contra ele. A liberdade e a igualdade da mulher não contradizem a subordinação ao marido, desde que essa subordinação aconteça de forma espontânea, e não segundo as concepções das fantasias masculinas de superioridade, nem de sua cobiça por dominação.[179]

O marido sábio permite que a esposa administre o lar, pois esse é o ministério dela. Apesar de a esposa ser a "dona da casa", o marido é o líder do lar, de modo que a esposa deve ser obediente. Mas onde existe amor, a obediência não é dolorosa.[180] O projeto de Deus no casamento não é a dominação do superior sobre o inferior, mas igualdade sexual com complementaridade.

Qual motivação deveria regular a conduta da mulher crente? O vetor principal a nortear-lhe a postura é "para que a palavra de Deus não seja difamada". A insubmissão da esposa ao marido seria um escândalo para o evangelho. A nossa vida é uma ponte ou uma muralha; aproxima as pessoas de Deus ou as afasta. Kelly está com a razão quando diz que o mundo de forma imediatamente culpará o próprio evangelho por qualquer conduta da parte dos fiéis que seja chocante às susceptibilidades contemporâneas.[181]

Os preceitos de Deus para os jovens (2.6)

"Quanto aos moços, de igual modo, exorta-os para que, em todas as coisas, sejam criteriosos" (2.6). Os jovens devem ser exortados a serem criteriosos em tudo. O próprio Tito deveria se encarregar desse trabalho de encorajar os jovens a viver um alto padrão. Juventude não é sinônimo de imaturidade. O padrão para os jovens não é inferior nem eles estão isentos da responsabilidade de viver de forma cuidadosa em todas as áreas da vida (1Tm 4.12).

L. Bonnet está correto quando diz que os jovens devem provar pela sua vida que estão debaixo da disciplina do Espírito e que dominam a carne. Se lhes faltar essa virtude, todas as obras cristãs que vierem a realizar serão desprovidas de valor.[182]

A palavra grega usada por Paulo é novamente *sophron*, autodisciplina, autodomínio, autocontrole. Segundo Stott, Paulo está pensando no controle de temperamento e da língua, da ambição e da avareza, e especialmente dos apetites carnais, inclusive compulsões sexuais, de modo que o jovem cristão permaneça dentro do imutável padrão cristão de castidade antes do casamento e de fidelidade depois dele.[183]

José do Egito se manteve puro mesmo quando a mulher de Potifar o abordou, e isso ocorreu várias vezes. Ele preferiu ser preso numa masmorra e manter sua consciência livre e pura a viver em liberdade, mas prisioneiro do pecado. A mais sombria de todas as masmorras é a prisão da culpa. Não há remédio humano que possa aliviar a dor da culpa. José preferiu ser um prisioneiro livre a ser um livre prisioneiro.

O profeta Daniel resolveu firmemente no seu coração não se contaminar, mesmo quando ainda era um adolescente. Os dois, José e Daniel, só puderam liderar eficazmente outras pessoas porque antes dominaram a si mesmos. Ninguém pode servir a outros até que tenha dominado a si mesmo. A Bíblia diz que melhor é "[...] o que domina o seu espírito, do que o que toma uma cidade" (Pv 16.32).

Os preceitos de Deus para Tito (2.7,8)

Vejamos as ordenanças de Paulo a Tito:

> Torna-te, pessoalmente, padrão de boas obras. No ensino, mostra integridade, reverência, linguagem sadia e irrepreensível, para que o

adversário seja envergonhado, não tendo indignidade nenhuma que dizer a nosso respeito (2.7,8).

A melhor maneira de um pastor pregar é por meio da sua vida. Os falsos mestres dizem e não fazem (1.16; Mt 23.3), mas os mestres da verdade devem dizer e fazer. Dizer e não fazer é hipocrisia.[184]

Concordo com John Stott quando diz que nós precisamos de modelos; eles nos dão direção, desafios e inspiração. Paulo se ofereceu como exemplo para a igreja de Corinto (1Co 11.1). Paulo deu ordens a Timóteo a ser padrão dos fiéis (1Tm 4.12). Agora, ordena a Tito a ser padrão para os crentes na prática de boas obras (2.7).[185] Nós precisamos de modelos vivos. Precisamos de líderes que preguem aos ouvidos e aos olhos. Que falem a sã doutrina e também demonstrem a verdade que pregam com o seu modo de viver. O ensino e o exemplo, o verbal e o visual, sempre formam uma combinação poderosa.[186]

Tito deveria imprimir nos membros da igreja uma impressão forte e indelével. A palavra grega *typos*, "padrão, protótipo", é exatamente a marca que uma máquina de escrever deixa no papel. Warren Wiersbe diz que *typos* significa também "estampa". Tito deveria viver de tal modo a imprimir sua "estampa espiritual" na vida de outros. Isso envolvia boas obras, sã doutrina, seriedade nas atitudes e discurso irrepreensível que ninguém – nem mesmo o inimigo – poderia condenar.[187]

Hans Burki tem razão quando diz que à imagem distorcida dos hereges deve ser contraposto o exemplo de um mestre saudável, porque o poder de imagens negativas somente pode ser superado por imagens poderosas e melhores.[188]

Duas verdades devem ser aqui destacadas:

Em primeiro lugar, *o líder deve ser padrão nas boas obras* (2.7). A vida do líder é a vida da sua liderança. Ele ensina não apenas com palavras, mas, sobretudo, com exemplo. Albert Schweitzer diz que o exemplo não é apenas uma forma de ensinar, mas a única maneira eficaz de fazê-lo. Antes de motivar a igreja à prática de boas obras, Tito deveria ser um padrão de boas obras. O líder não ensina apenas mediante preceitos, mas também pelo exemplo pessoal.

O ensino do apóstolo Paulo é meridianamente claro acerca do lugar das boas obras na vida do cristão. Ele não as pratica para alcançar a salvação, mas porque já recebeu a salvação. Boas obras não são a causa da salvação, mas o resultado dela. Somos criados em Cristo para as boas obras e não por causa delas (Ef 2.10).

Em segundo lugar, *o líder deve ser padrão no ensino da Palavra* (2.7,8). Com respeito ao ensino da Palavra, quatro pontos vitais devem ser observados:

O conteúdo correto. "No ensino, mostra integridade..." (2.7). A palavra "integridade" é a tradução de *afthoria,* que literalmente significa "incorruptibilidade".[189] A integridade tem a ver tanto com o conteúdo da mensagem quanto com a motivação do mensageiro. O mensageiro não pode retirar nem acrescentar coisa alguma da mensagem. A Palavra não pode ser adulterada nem mercadejada. O ministro precisa ser íntegro quanto ao seu conteúdo e quanto aos seus motivos. Kelly é da opinião de que por "integridade" Paulo quer dizer pureza de motivo, a ausência de qualquer desejo de lucros.[190]

O método correto. "No ensino, mostra [...] reverência" (2.7). A reverência tem a ver com a forma que a mensagem é transmitida, ou seja, a maneira de ensinar. Reverência denota um alto tom moral na exposição da sã doutrina. Um pregador irreverente é uma contradição. A vida do pregador não pode estar em oposição à sua mensagem. Richard Baxter, expoente do puritanismo inglês, afirmou:

> Não importa o que você faça, assegure-se de que as pessoas estejam vendo que você está sendo bastante sincero [...]. Não podem se quebrar corações humanos tratando-os com leviandade.[191]

O instrumento correto. "Linguagem sadia e irrepreensível..." (2.8). O púlpito não pode ser um palco nem um picadeiro em que o pregador usa piadas e gracejos inconvenientes e incompatíveis com a santidade da mensagem. Não apenas a mensagem é santa, mas também a forma de comunicá-la deve ser santa.

O propósito correto. "[...] para que o adversário seja envergonhado, não tendo indignidade nenhuma que dizer a nosso respeito" (2.8). A descrição que Paulo faz do adversário pode incluir os críticos pagãos do cristianismo, bem como os indivíduos indispostos dentro da comunidade. A melhor defesa contra os adversários é a completa integridade na pregação, tanto na forma quanto no conteúdo.[192] Devemos ser zelosos quanto à doutrina e também quanto à forma pela qual ensinamos a doutrina, pois nossos adversários sempre buscarão motivos para nos acusar. Não podemos deixar brechas para o inimigo nos atacar.

Os preceitos de Deus para os servos (2.9,10)

Concordo com William MacDonald quando diz que a simples menção que a Bíblia faz da escravidão no primeiro século não é sinônimo de sua aprovação, assim como a poligamia registrada no Antigo Testamento não é um atestado de aprovação divina àquela prática. Deus jamais aprovou a crueldade e a injustiça da escravatura. Porém, a igreja primitiva não se engajou num projeto revolucionário contra a escravatura. Antes, condenou-a e removeu seus abusos pelo poder do evangelho. Onde a Palavra de Deus prevaleceu, o mal da escravatura sucumbiu.[193]

Ao contrário de Efésios 6.9 e Colossenses 4.1, os senhores ou proprietários não estão incluídos nessa exortação. Possivelmente ainda não existissem nas igrejas da ilha de Creta esses senhores de escravos.[194] Com respeito aos servos, Paulo alista duas virtudes que deveriam cultivar e dois pecados que deveriam evitar.

Em primeiro lugar, *as virtudes que deveriam cultivar* (2.9,10). A fé cristã, longe de engajar-se numa luta político-social contra a escravatura, deu instruções aos servos e aos senhores sobre como viver de forma a glorificar a Deus. Embora não haja mais escravos hoje, os princípios aplicam-se perfeitamente à relação de patrões-empregados. Que virtudes os servos deveriam cultivar?

Obediência. "Quanto aos servos, que sejam, em tudo, obedientes ao seu senhor, dando-lhe motivo de satisfação..." (2.9). A obediência deveria ser em tudo. Obviamente "em tudo" restringe-se ao que é lícito. A submissão deveria objetivar a satisfação dos senhores. É possível obedecer sem fazê-lo de coração (Ef 6.6). É possível trabalhar de má vontade.

Fidelidade. "[...] pelo contrário, deem prova de toda fidelidade..." (2.10). Os servos deveriam dar prova de sua honestidade. Não deveriam servir apenas quando eram vigiados nem apenas com medo de serem castigados.

Em segundo lugar, *os pecados que deveriam evitar* (2.9,10). Os servos crentes deveriam estar atentos para não cometerem dois pecados em relação aos seus senhores. Que pecados são esses?

Rebeldia. "[...] não sejam respondões" (2.9). Uma coisa é servir de coração, outra é fazê-lo com má vontade e murmuração. O servo poderia se queixar do senhor a outros que trabalhavam com ele, o que certamente seria um péssimo testemunho cristão. O irmão mais velho do filho pródigo obedeceu a seu pai em tudo, mas não o honrou. Muitos servos eram rebeldes, respondões e destemperados emocionalmente.

Desonestidade. "Não furtem..." (2.10). O verbo grego *nesphizesthai,* "furtar", significa literalmente "separar" ou "colocar de lado", e assim fica sendo um eufemismo para o furto em pequena escala ou o quieto aproveitamento de algumas vantagens indevidas.[195]

O furto é expressamente condenado na lei de Deus no oitavo mandamento. Muitos servos, à semelhança de Onésimo, furtavam seus senhores, subtraindo pequenas coisas (Fm 18). Ainda hoje, muitos empregados furtam seus patrões e suas empresas; essa prática é condenada na Palavra de Deus.

Por último, Paulo dá aos servos uma excelente motivação para agirem com obediência e fidelidade: "[...] a fim de ornarem, em todas as coisas, a doutrina de Deus, nosso Salvador" (2.10b). Em outras palavras, seu comportamento obediente ajudará a fazer a mensagem cristã atraente e nobre, e assim a recomendará ao mundo externo.[196]

Nada podemos acrescentar ao conteúdo da doutrina de Deus, mas podemos torná-la mais bela aos olhos dos homens, ou seja, podemos acrescentar brilho à doutrina. A palavra grega usada por Paulo, *kosmosin,* significa "colocar em ordem, enfeitar, adornar". A palavra é usada para o arranjo de joias de modo que elas apresentem sua plena beleza.[197]

Stott diz que o evangelho é uma pedra preciosa, sendo a vida cristã harmoniosa como uma armação em que a gema do evangelho é colocada, contribuindo para lhe "dar mais brilho". Assim, a nossa vida pode dar ornamento ou descrédito ao evangelho.[198]

Concluímos nossa exposição do texto em tela com as palavras de Hans Burki:

> "A doutrina" é o termo básico para o começo (2.1), o meio (2.7) e o fim (2.10) da seção de exortação prática. Essa sã doutrina, que mantém a fé saudável, sóbria e ativa nas obras, é desenvolvida na sequência. No Salvador culmina o chamado exortativo, fazendo a transição para a exaltação precisamente dessa graça redentora e educadora de Deus (2.11-14).[199]

NOTAS DO CAPÍTULO 4

[156] Esta expressão "tu, porém" ocorre cinco vezes nas cartas pastorais (Tt 2.1; 1Tm 6.11; 2Tm 3.10,14; 4.5).
[157] STOTT, John. *A mensagem de 1 Timóteo e Tito,* p. 190.
[158] KELLY, J. N. D. *I e II Timóteo e Tito: Introdução e comentário,* p. 216.

[159] KELLY, J. N. D. *I e II Timóteo e Tito: Introdução e comentário*, p. 216.
[160] BURKI, Hans. *Carta aos Tessalonicenses, Timóteo, Tito e Filemom*, p. 404.
[161] STOTT, John. *A mensagem de 1Timóteo e Tito*, p. 190.
[162] STOTT, John. *A mensagem de 1Timóteo e Tito*, p. 191.
[163] STOTT, John. *A mensagem de 1Timóteo e Tito*, p. 191.
[164] CALVINO, Juan. *Comentarios a las epístolas pastorales de San Pablo*, p. 358.
[165] GOULD, J. Glenn. *As epístolas pastorais* in *Comentário bíblico Beacon*, p. 552.
[166] BARCLAY, William. *I y II Timoteo, Tito y Filemon*, p. 257,258.
[167] BARCLAY, William. *I y II Timoteo, Tito y Filemon*, p. 258.
[168] BARCLAY, William. *I y II Timoteo, Tito y Filemon*, p. 258.
[169] BARCLAY, William. *I y II Timoteo, Tito y Filemon*, p. 258.
[170] BURKI, Hans. *Carta aos Tessalonicenses, Timóteo, Tito e Filemom*, p. 405.
[171] MACDONALD, William. *Believer's Bible Commentary*, p. 2.139.
[172] STOTT, John. *A mensagem de 1Timóteo e Tito*, p. 193.
[173] WIERSBE, Warren W. *Comentário bíblico expositivo*, p. 343.
[174] KELLY, J. N. D. *I e II Timóteo e Tito: Introdução e comentário*, p. 217; Rienecker, Fritz; ROGERS, Cleon. *Chave linguística do Novo Testamento Grego*, p. 484.
[175] BARNES, Albert. *Barnes' Notes on the Old & New Testaments*, p. 275.
[176] WIERSBE, Warren W. *Comentário bíblico expositivo*, p. 345.
[177] KELLY, J. N. D. *I e II Timóteo e Tito: Introdução e comentário*, p. 218.
[178] STOTT, John. *A mensagem de 1Timóteo e Tito*, p. 194.
[179] BURKI, Hans. *Carta aos Tessalonicenses, Timóteo, Tito e Filemom*, p. 407,408.
[180] WIERSBE, Warren W. *Comentário bíblico expositivo*, p. 344.
[181] KELLY, J. N. D. *I e II Timóteo e Tito: Introdução e comentário*, p. 219.
[182] BONNET, L; SCHROEDER, A. *Comentario del Nuevo Testamento*, p. 748.
[183] STOTT, John. *A mensagem de 1Timóteo e Tito*, p. 195.
[184] WIERSBE, Warren W. *Comentário bíblico expositivo*, p. 344,345.
[185] STOTT, John. *A mensagem de 1Timóteo e Tito*, p. 195.
[186] STOTT, John. *A mensagem de 1Timóteo e Tito*, p. 195.
[187] WIERSBE, Warren W. *Comentário bíblico expositivo*, p. 345.
[188] BURKI, Hans. *Carta aos Tessalonicenses, Timóteo, Tito e Filemom*, p. 409.
[189] STOTT, John. *A mensagem de 1Timóteo e Tito*, p. 195.

[190] KELLY, J. N. D. *I e II Timóteo e Tito: Introdução e comentário*, p. 219.
[191] BAXTER, Richard. *The reformed pastor.* Epworth, 1950, p. 145.
[192] KELLY, J. N. D. *I e II Timóteo e Tito: Introdução e comentário*, p. 220.
[193] MACDONALD, William. *Beliver's Bible commentary*, p. 2.141.
[194] BURKI, Hans. *Carta aos Tessalonicenses, Timóteo, Tito e Filemom*, p. 410.
[195] KELLY, J. N. D. *I e II Timóteo e Tito: Introdução e comentário*, p. 220.
[196] KELLY, J. N. D. *I e II Timóteo e Tito: Introdução e comentário*, p. 220.
[197] RIENECKER, Fritz; ROGERS, Cleon. *Chave linguística do Novo Testamento Grego*, p. 484.
[198] STOTT, John. *A mensagem de 1 Timóteo e Tito*, p. 197.
[199] BURKI, Hans. *Carta aos Tessalonicenses, Timóteo, Tito e Filemom*, p. 411.

Capítulo 5

A graça de Deus, o fundamento de uma vida santa
(Tt 2.11-15)

O APÓSTOLO PAULO, NESSA EPÍSTOLA A Tito, faz uma inversão em sua costumeira metodologia. Nas cartas aos Romanos, Gálatas, Efésios e Colossenses, ele ensina a doutrina e, depois, estabelece o dever. Em sua costumeira abordagem, primeiro dá o preceito, depois orienta a conduta; primeiro ensina a teologia, depois a ética.

Erdman tem razão ao dizer que o credo afeta a conduta, e esta não pode suster-se sem fé; a doutrina não é mais importante que a conduta, mas a conduta está condicionada pela fé. Por essa razão Paulo fundamenta todas as exortações do capítulo em um sumário do evangelho que, quanto à beleza, profundidade e significado, é possivelmente insuperável.[200]

Conforme o ensino de Paulo, a doutrina determina a ética, a teologia desemboca na conduta e a ortodoxia produz a ortopraxia. Nessa carta, porém, Paulo primeiro abordou o dever (2.1-10) e só depois ofereceu a sustentação doutrinária (2.11-15).

Kelly corretamente diz que a partícula *porquanto* indica que Paulo está para declarar o fundamento teológico do conselho que acabou de dar.[201]

Não importa a ordem, o que é absolutamente indispensável é a estreita conexão que deve existir entre doutrina e vida, teologia e ética. Concordo com o comentário de John Stott de que essas duas formas de abordagem são legítimas, desde que o elo indestrutível que existe entre a doutrina e a ética seja colocado e mantido.[202] Sendo assim, destacamos três pontos a título de introdução.

Em primeiro lugar, *a vida pura é consequência direta da teologia pura*. A decadência moral instalada nas igrejas contemporâneas denuncia a fragilidade da sua teologia. Onde a doutrina é ignorada, torcida ou adulterada, não pode haver santidade. A vida pura é resultado da doutrina pura. A teologia é mãe da ética. Assim como o homem crê, assim ele é.

Em segundo lugar, *a transformação nos relacionamentos é resultado direto da transformação da graça*. Depois que Paulo falou dos relacionamentos transformados (2.1-10), deu a fundamentação teológica para essa transformação (2.11-15). Paulo falou do padrão divino para os homens e as mulheres idosos; para as mulheres recém-casadas e para os jovens solteiros; para os líderes e para os servos. Contudo, esperar relacionamentos transformados sem a graça de Deus é impossível. Primeiro o homem é transformado pela graça; só depois ele experimenta relacionamentos transformados.

Em terceiro lugar, *a conexão entre doutrina e vida é absolutamente necessária para uma igreja saudável.* O espírito do pós-modernismo repudia a ideia de verdades absolutas. Prevalece o pluralismo das ideias e o individualismo na escolha das ideias que mais lhes atendam os interesses imediatos. Nesse contexto, falar em doutrina, teologia e conhecimento é remar contra a correnteza.

As pessoas desprezam o conhecimento e correm atrás de experiências subjetivas. Elas não querem pensar; querem sentir. O sensório tomou o lugar do racional. Muitas igrejas abandonaram a sã doutrina e ainda pensam, equivocadamente, que podem viver de forma agradável a Deus. Isso é um absoluto engano.

O Espírito Santo nos guia na verdade, e não à parte dela. Existe uma estreita e inquebrantável conexão entre a doutrina bíblica e a vida que agrada a Deus. Os que desprezam a doutrina acabam caindo na teia do relativismo moral. A impiedade sempre desemboca na perversão.

Hans Burki sintetiza a passagem em tela, dizendo que ela exalta a graça de Deus manifesta no passado (2.11) e educa os discípulos de Jesus no presente (2.12), cuja revelação plena é aguardada no futuro (2.13), e cujo alicerce e força são o amor do Redentor, o qual purifica seu povo e o leva a viver com zelo sagrado (2.14).[203]

Vamos examinar a fundamentação teológica para uma vida santa, buscando essa conexão entre doutrina e dever.

A manifestação da graça (2.11)

"Porquanto a graça de Deus se manifestou salvadora a todos os homens" (2.11). Só podemos ter uma vida santa por causa da *epifania*, "manifestação" da graça de Deus. A graça de Deus sempre existiu. Deus sempre foi gracioso. Porém, em Cristo, essa graça despontou majestosa da mesma forma que o romper da alva.

O substantivo *epifaneia* significa a visível aparição de alguma coisa ou de alguém que estava invisível. Essa palavra era usada no grego clássico em relação à alvorada, ao amanhecer, quando o sol transpõe a linha do horizonte e se torna visível. É a mesma palavra que aparece em Atos 27.20, quando Lucas diz que por vários dias nem o sol nem as estrelas apareceram [fizeram epifania]. É claro que as estrelas ainda estavam no céu, mas não apareceram.[204]

A graça de Deus brilhou como sol sobre aqueles que viviam nas regiões da sombra da morte. Essa graça se manifestou quando Jesus nasceu numa estrebaria, cresceu numa carpintaria e morreu numa cruz. Essa graça brilhou quando de seus lábios se ouviam palavras de vida eterna, quando ele curava os enfermos, purificava os leprosos, lançava fora os demônios e ressuscitava os mortos. A graça resplandeceu quando o Filho de Deus entregou sua vida na cruz e a reassumiu na gloriosa manhã da ressurreição. A graça se manifestou para resgatar o homem do seu maior mal e oferecer a ele o maior bem.[205]

Destacamos três aspectos da *epifania* da graça:

Em primeiro lugar, *a origem da graça* (2.11). Paulo fala da graça *de Deus*. A graça tem sua origem em Deus. Ela emana de Deus. Embora Deus sempre tenha sido gracioso, pois é o Deus de toda a graça, ela se tornou visível em Jesus Cristo. A graça de Deus foi esplendorosamente mostrada em seu humilde nascimento, em suas graciosas palavras e em seus atos movidos de compaixão; mas, sobretudo, em sua morte expiatória.[206]

A graça de Deus é totalmente imerecida. Não há nada em nós que reivindique o amor de Deus. Não há nenhum merecimento em nós. O amor de Deus tem nele mesmo sua causa. A graça é um favor imerecido. Deus trata de forma benevolente aqueles que merecem seu juízo.

Em segundo lugar, *a natureza da graça* (2.11). A graça de Deus é *salvadora*. A graça é o favor superabundante de Deus pelos pecadores indignos.[207] Kelly diz que a graça de Deus representa o favor gratuito de Deus, a bondade espontânea mediante a qual ele intervém para ajudar e livrar os homens.[208] Em Jesus, a graça de Deus desponta como um sol sobre o mundo escurecido pelas sombras da morte.[209]

Gosto da definição de William Hendriksen:

> A graça de Deus é seu favor ativo que outorga o
> maior de todos os dons a quem merece o
> maior de todos os castigos.[210]

Por isso, a graça triunfa sobre nossa iniquidade. Ela é maior do que o nosso pecado e melhor do que a nossa vida. Onde abundou o pecado, superabundou a graça. Somos salvos pela graça. Vivemos pela graça. Dependemos da graça. Nada somos sem a graça. Por causa da graça, embora perdidos, fomos achados; embora mortos, recebemos vida.

Em terceiro lugar, *a extensão da graça* (2.11). A graça de Deus se manifestou salvadora *a todos os homens*. A *epifania* da graça não alcança todos os homens quantitativamente, mas todos os homens qualitativamente.

A salvação é universal no sentido de que alcança todos aqueles que são comprados para Deus, procedentes de toda tribo, língua, povo e nação (Ap 5.9), mas não no sentido de todos os homens, sem exceção. A salvação é universal porque alcança todos os homens sem acepção, mas não a todos os homens sem exceção. Não há universalismo na salvação.

O que a Bíblia ensina sobre a universalidade da graça de Deus é que ela rompe todas as barreiras, derruba todos os preconceitos e alcança pessoas de todos os gêneros, idades e posições (2.1-10). A graça é acessível a todos: homens e mulheres, idosos e jovens, escravos e senhores, judeus e gentios.[211]

Nessa mesma linha de pensamento João Calvino afirma: "A salvação é comum a todos", e isso fica expressamente claro pelo fato de Paulo mencionar os escravos cristãos. Porém, Paulo não alude aos homens no individual, mas destaca classes individuais, ou seja, diferentes categorias de pessoas.[212]

Concluo esse ponto citando Albert Barnes:

> O plano de Deus tem sido revelado a todas as classes de homens e a todas as raças, inclusive servos e chefes; vassalos e reis; pobres e ricos; ignorantes e sábios.[213]

A pedagogia da graça (2.12,13)

"Educando-nos para que, renegadas a impiedade e as paixões mundanas, vivamos no presente século, sensata, justa e piedosamente, aguardando a bendita esperança e a manifestação da glória do nosso grande Deus e Salvador Cristo Jesus" (2.12,13). Paulo enfatiza aqui três grandes verdades.

Em primeiro lugar, *a graça nos educa para renegarmos o mal* (2.12). "Educando-nos para que, renegadas a impiedade e as paixões mundanas, vivamos, no presente século..." (2.12a). A graça de Deus é pedagógica. Ela é educadora. Ela nos ensina a viver. Ser cristão é estar matriculado na escola da graça. O primeiro destaque de Paulo é que a graça nos educa mediante a forte disciplina de renegarmos a impiedade e as paixões mundanas.

Kelly diz que o caráter desse rompimento é ressaltado no original pela palavra grega traduzida "renegadas", que é um particípio passado, indicando uma ação consumada de uma vez por todas.[214] Renegar significa renunciar, abdicar, ser capaz de dizer não.[215]

Antes de falar positivamente acerca do que devemos ser e fazer, Paulo fala sobre o que devemos repudiar e rejeitar. O que a graça de Deus nos ensina a rejeitar?

A graça nos ensina a renegar a falsa teologia (2.12a). A palavra grega *asebeia*, "impiedade", refere-se à rejeição de tudo o que é reverente e de tudo o que tem a ver com Deus.[216] Hans Burki diz que a palavra *asebeia* aponta para o passado, para uma vida sem e contra Deus.[217] A impiedade tem a ver com aquilo que se opõe à verdadeira adoração e devoção a Deus. A impiedade é uma relação errada com Deus. Ela tem a ver com uma teologia errada, ou seja, com a distorção da verdade. O ímpio é aquele que não leva Deus em conta e, por isso, não leva Deus a sério. O ímpio não se deleita em Deus, não tem prazer em Deus. Ao contrário, ele abomina a beatitude.

A graça nos ensina a renegar a falsa ética (2.12a). As paixões mundanas são consequência da impiedade. A perversão é filha da impiedade (Rm 1.18). As paixões mundanas decorrem de um relacionamento errado com Deus. Essas paixões mundanas têm a ver com uma vida desregrada na área da mente, da língua e do sexo. Essas paixões descrevem um estilo de vida pervertido.

William Hendriksen diz que essas paixões mundanas incluem o desejo sexual desordenado, o alcoolismo, o desejo excessivo por possessões materiais e a agressividade.

Em suma, referer-se aos anelos desordenados de prazeres, poder e possessões, ou seja, sexo, poder e dinheiro.[218]

John Stott está coberto de razão quando afirma que a graça de Deus nos disciplina a renunciar à nossa velha vida e a viver uma nova vida, a passar da impiedade para a piedade, do egoísmo ao autocontrole, dos caminhos desonestos a um tratamento justo com todos os demais.[219]

Hans Burki alerta para o fato de que, quando as paixões mundanas não são renegadas, a graça se torna barata e a pessoa se evade da escola da graça. Muitos métodos de evangelização e missão se mostram não bíblicos quando falam apenas da fé no Salvador dos pecadores, mas não igualmente da abdicação ao pecado. Assim, sob a influência da graça educadora de Deus as paixões mundanas não são negadas, mas renegadas.[220]

Em segundo lugar, *a graça nos educa para praticarmos o bem* (2.12b). "Vivamos, no presente século, sensata, justa e piedosamente" (2.12b). Depois de tratar do aspecto negativo, Paulo se volta para o positivo. Agora, ele fala sobre como a graça de Deus nos educa para praticarmos o bem. A salvação não é apenas uma mudança de situação, mas também de atitude. A pedagogia da graça nos educa em nosso relacionamento conosco, com o próximo e com Deus.

Nessa mesma linha de pensamento, Kelly diz que os três advérbios que Paulo emprega definem sucessivamente o relacionamento do cristão consigo, com o próximo e com Deus.[221] A graça nos educa para vivermos relacionamentos certos dentro, fora e para cima.[222]

A graça nos ensina o correto relacionamento com nós mesmos (2.12b). "Vivamos, no presente século, sensata...". A palavra grega *sophronos* traz a ideia de prudência, autocontrole ou moderação.[223] A sensatez tem a ver com o domínio próprio, com a vida controlada. Sensatez é ter seus impulsos, instintos, ações e reações sob controle. É a maneira correta de lidar consigo mesmo.

Na linguagem de William Hendriksen, sensatez é fazer uso adequado dos desejos e impulsos que não são pecaminosos em si mesmos, e vencer os que são pecaminosos.[224] O cristão vive "no presente século", mas não em conformidade com ele nem para ele. Cristo nos remiu "[...] deste mundo perverso" (Gl 1.4), e não devemos nos conformar com ele (Rm 12.1,2).[225]

A graça nos ensina o correto relacionamento com o próximo (2.12b). "Vivamos, no presente século [...] justamente...". A justiça fala do nosso correto relacionamento com o próximo. Uma pessoa justa é aquela que não se coloca acima dos outros nem tenta diminuí-los. Ela concede aos outros o que lhes é devido. Viver de forma justa é demonstrar integridade no trato com os demais.[226] Albert Barnes diz corretamente que a fé cristã nos ensina a cumprir nossos deveres, votos, alianças e contratos com fidelidade.[227]

A graça nos ensina o correto relacionamento com Deus (2.12b). "Vivamos, no presente século [...] piedosamente". A piedade está ligada ao nosso correto relacionamento com Deus. É o verdadeiro fervor e reverência para com o único que é objeto da adoração.[228] Somente a graça pode nos tomar pela mão e nos conduzir a um íntimo relacionamento com Deus. Concordo com Warren Wiersbe quando diz que a graça de Deus não apenas nos salva, mas também nos ensina como viver a vida cristã. Aqueles que usam a graça de Deus como desculpa para pecar jamais experimentaram seu poder salvador (Rm 6.1; Jd 4). A mesma graça de Deus que nos redime é também a graça que nos renova e nos capacita a obedecer à sua Palavra (2.14).[229]

Em terceiro lugar, *a graça nos educa para aguardarmos a manifestação da glória do nosso grande Deus e Salvador Cristo Jesus* (2.13). "Aguardando a bendita esperança e a manifestação da glória do nosso grande Deus e Salvador Cristo Jesus" (2.13).

Depois de ter falado da *epifania* da graça (2.11), agora Paulo fala da *epifania da* glória. John Stott diz que aquele que apareceu brevemente no cenário da História, e desapareceu, um dia vai reaparecer. Ele apareceu em graça; ele reaparecerá em glória.[230]

O cristão olha para trás e glorifica a Deus porque a graça o libertou da impiedade e das paixões mundanas. Ele olha para o presente e exalta a Deus porque tem uma correta relação consigo, com o próximo e com o próprio Deus. Ele olha para o futuro e se santifica porque vive na expectativa da *epifania* do seu grande Deus e Salvador Cristo Jesus. A graça de Deus nos libertou de nossas mazelas do passado, restaurou nossa vida no presente e nos mantém na ponta dos pés com uma gloriosa expectativa em relação ao futuro, quando o nosso grande Deus e Salvador Jesus Cristo há de voltar em glória e poder. É impossível que aqueles que mantêm essa gloriosa esperança da volta de Jesus se recusem a entregar-se completamente a Deus.

João Calvino entende que essa manifestação da glória de Jesus Cristo é mais do que a glória com a qual ele é glorioso nele mesmo; é também a glória por meio da qual ele se difundirá por todas as partes, a fim de que todos os seus eleitos participem dela. Paulo chama Jesus Cristo de grande Deus porque sua grandeza, a qual os homens têm obscurecido com o vão esplendor deste mundo, será plenamente manifestada no último dia. Então, o brilho do mundo que hoje parece grande aos nossos olhos perderá completamente sua pompa.²³¹

Paulo chama a *epifania* da glória de "bendita esperança". Na verdade, o que começa com graça termina com glória. Warren Wiersbe diz corretamente que a volta gloriosa de Cristo é mais do que uma bendita esperança; é uma esperança cheia de alegria (Rm 5.2; 12.12), uma esperança unificadora (Ef 4.4), uma viva esperança (1Pe 1.3), uma firme esperança (Hb 6.19) e uma esperança purificadora (1Jo 3.3).²³²

A dinâmica da nova vida é a expectativa da vinda gloriosa de Jesus Cristo. Quando se espera uma visita real, tudo se limpa, se decora e se arranja para que o olho real o veja. O cristão é uma pessoa que está sempre pronta para receber o Rei dos reis.²³³

A operação da graça (2.14,15)

"O qual a si mesmo se deu por nós, a fim de remir-nos de toda iniquidade e purificar, para si mesmo, um povo exclusivamente seu, zeloso de boas obras" (2.14). Paulo, que acabara de falar da *epifania* da glória, passa agora naturalmente para a sua primeira *epifania* quando a nossa salvação teve início. Paulo destaca três gloriosas verdades acerca da operação da graça.

Em primeiro lugar, *o presente da graça* (2.14). "O qual a si mesmo se deu por nós..." (2.14a). Não foi a cruz que produziu a graça, mas a graça que produziu a cruz. Cristo é o presente da graça. Ele, sendo Criador do universo, esvaziou-se e nasceu de mulher. Ele, sendo o Pai da eternidade, entrou no tempo, encarnou-se e fez morada entre os homens. Ele, sendo santo, se fez pecado; sendo bendito, se fez maldição; sendo autor da vida, morreu em nosso lugar numa rude cruz. Essa foi a maior oferta, a maior dádiva, o maior presente.

A entrega voluntária de Cristo por nós, como nosso fiador, representante e substituto, nos fala de sua morte vicária. Aqui está o núcleo da doutrina da expiação. Ele morreu não apenas para possibilitar a nossa salvação, mas para nos salvar. Ele morreu pelas suas ovelhas. Ele deu sua vida pela sua igreja. Ele morreu a nossa morte. Por sua morte temos vida.

Em segundo lugar, *o propósito da graça* (2.14b). "[...] a fim de remir-nos de toda iniquidade e purificar, para si mesmo, um povo exclusivamente seu..." (2.14b). A graça tem dois propósitos, um negativo e outro positivo.

O propósito negativo. O propósito negativo é remir-nos de toda iniquidade, ou seja, daquele poder que nos faz pecar. A graça de Deus nos salva do pecado e não no pecado. A graça não se manifestou para que os que vivem no pecado sejam salvos; ela se manifestou para remir-nos de toda iniquidade.

Carl Spain é categórico quando afirma que a definição de graça salvadora dada por Paulo não permite nenhuma sugestão de que Deus salvará o homem em seu pecado (Rm 6.1,2).[234] Cristo nos libertou da penalidade do pecado na justificação. Cristo nos liberta do poder do pecado na santificação. E Cristo nos libertará da presença do pecado na glorificação.

O propósito positivo. O propósito positivo da graça de Deus é que Cristo, por meio de sua morte, purifique para si mesmo um povo exclusivamente seu. O Senhor quer um povo limpo e exclusivo. Ele não aceita um povo maculado pela iniquidade nem um povo de coração dividido. Pelo seu sacrifício Cristo nos comprou. Agora, somos propriedade exclusiva dele. Somos suas ovelhas, sua herança, sua habitação.

A graça de Deus, o fundamento de uma vida santa

Em terceiro lugar, *o resultado da graça* (2.14c). "[...] um povo exclusivamente seu, zeloso de boas obras" (2.14c). A expressão: "zeloso de boas obras" traz a ideia de "entusiasmado pelas boas obras".²³⁵ O alvo do cristão não é apenas ter a capacidade de realizar boas obras, mas ter entusiasmo e paixão por fazê-las. Devemos viver intensamente para aquele que morreu vicariamente por nós.

Hans Burki diz que a graça nos educa para um novo gosto, uma nova disposição, um prazer para boas obras. Da consciência de pertencer ao Redentor e a seu povo resulta um novo devotamento: não mais ser escravo cativo de si mesmo, e, por conseguinte, não precisar mais viver para si mesmo; essa é verdadeira redenção e libertação para a vida.²³⁶

John Piper afirma que no cerne do cristianismo está a verdade de que somos perdoados e aceitos por Deus não por termos feito boas obras, mas a fim de que possamos fazê-las. As boas obras não são o fundamento de nossa aceitação, mas o seu fruto.²³⁷ Deus nos salvou para as boas obras, e não por causa delas. Devemos não apenas praticá-las, mas também fazê-lo com fervor, paixão e zelo. Não devemos ser relapsos e remissos nas boas obras, mas zelosos e fervorosos praticando-as.

John Stott afirma com pertinência que nesse pequeno parágrafo (2.11-14) Paulo coloca lado a lado os dois marcos que determinam a era cristã, ou seja, a primeira vinda de Cristo, com a qual ela começa, e a sua segunda vinda, com a qual ela termina. Ele nos convida a olhar uma e outra, pois vivemos no intervalo de tempo que separa os dois fatos, uma situação não muito confortável entre o "já" e o "ainda não".²³⁸

Embora voltemos o olhar a um passado distante, quando houve a *epifania* da graça, e o fixemos também num futuro desconhecido, quando haverá a *epifania* da glória, devemos viver no presente de forma sensata, justa e piedosa. Quando caminhamos entre essas duas *epifanias*, passada e futura, da graça e da glória, é que podemos viver de modo agradável a Deus. Quando vivemos sob a perspectiva da primeira e da segunda vinda de Cristo, é que encontramos o verdadeiro sentido da vida cristã.

Paulo conclui sua exposição do capítulo 2 de Tito como começou, dando-lhe uma ordem para ensinar. No versículo 1, disse: "Tu, porém, fala o que convém à sã doutrina" (2.1). No último versículo, diz: "Dize estas coisas; exorta e repreende também com toda a autoridade. Ninguém te despreze" (2.15). Paulo repete a primeira ordem "fala" [dize] e acrescenta mais duas: "exorta e repreende". O ensino, a exortação e a repreensão devem ser feitos de forma pessoal e corajosa. Kelly enfatiza que Tito deveria não somente declarar essa mensagem, mas também exortar as pessoas a aceitá-la e repreendê-las por qualquer lassidão em fazê-lo.[239]

Não basta apenas falar e ensinar; é preciso também encorajar. Não é suficiente apenas falar e encorajar; é necessário também repreender. A Palavra de Deus precisa ser dirigida ao intelecto, às emoções e à vontade. Precisamos ensinar de forma inteligível o conteúdo da teologia, encorajar o coração e repreender a conduta errada.

Tito não poderia se intimidar diante da petulância dos falsos mestres que ameaçavam a igreja, nem sentir-se desqualificado diante dos membros das igrejas cretenses. Ele deveria falar, exortar e repreender com toda a autoridade. Não deveria nutrir complexo de inferioridade diante das pessoas a quem ministrava. Paulo é enfático: "Ninguém te despreze". Obviamente, essa observação visava mais às igrejas cretenses do que ao próprio Tito.

Notas do capítulo 5

[200] ERDMAN, Carlos R. *Las epistolas pastorales a Timoteo y a Tito*, p. 164.
[201] KELLY, J. N. D. *I e II Timóteo e Tito: Introdução e comentário*, p. 221.
[202] STOTT, John. *A mensagem de 1Timóteo e Tito*, p. 197.
[203] BURKI, Hans. *Carta aos Tessalonicenses, Timóteo, Tito e Filemom*, p. 411.
[204] STOTT, John. *A mensagem de 1Timóteo e Tito*, p. 198.
[205] HENDRIKSEN, William. *1 y 2 Timoteo y Tito*, p. 419,420.
[206] STOTT, John. *A mensagem de 1Timóteo e Tito*, p. 198.
[207] WIERSBE, Warren W. *Comentário bíblico expositivo*, p. 345.
[208] KELLY, J. N. D. *I e II Timóteo e Tito: Introdução e comentário*, p. 221.
[209] BURKI, Hans. *Carta aos Tessalonicenses, Timóteo, Tito e Filemom*, p. 412.
[210] HENDRIKSEN, Guillermo. *1 e 2 Timoteo y Tito*, p. 419.
[211] BURKI, Hans. *Carta aos Tessalonicenses, Timóteo, Tito e Filemom*, p. 412.
[212] CALVINO, Juan. *Comentarios a las epístolas pastorales de San Pablo*, p. 367,368.
[213] BARNES, Albert. *Barnes' Notes on the Old & New Testaments*, p. 278.
[214] KELLY, J. N. D. *I e II Timóteo e Tito: Introdução e comentário*, p. 221.
[215] BURKI, Hans. *Carta aos Tessalonicenses, Timóteo, Tito e Filemom*, p. 413.
[216] RIENECKER, Fritz e Rogers, Cleon. *Chave linguística do Novo Testamento Grego*, p. 485.
[217] BURKI, Hans. *Carta aos Tessalonicenses, Timóteo, Tito e Filemom*, p. 414.
[218] HENDRIKSEN, William. *1 y 2 Timoteo y Tito*, p. 421.
[219] STOTT, John. *A mensagem de 1Timóteo e Tito*, p. 199.
[220] BURKI, Hans. *Carta aos Tessalonicenses, Timóteo, Tito e Filemom*, p. 414,415.
[221] KELLY, J. N. D. *I e II Timóteo e Tito: Introdução e comentário*, p. 222.
[222] HIEBERT, D. Edmond. Titus in *Zondervan NIV Bible Commentary*. Vol. 2. Grand Rapids, MI: Zondervan Publishing House, 1994, p. 929.
[223] RIENECKER, Fritz e Rogers, Cleon. *Chave linguística do Novo Testamento Grego*, p. 485.
[224] HENDRIKSEN, William. *1 y 2 Timoteo y Tito*, p. 421.
[225] WIERSBE, Warren W. *Comentário bíblico expositivo*, p. 346.
[226] HENDRIKSEN, William. *1 y 2 Timoteo y Tito*, p. 421.

[227] BARNES, Albert. *Barnes' Notes on the Old & New Testaments,* p. 279.
[228] HENDRIKSEN, William. *1 y 2 Timoteo y Tito,* p. 421.
[229] WIERSBE, Warren W. *With the word.* Nashville, TN: Thomas Nelson Publishers, 1991, p. 807.
[230] STOTT, John. *A mensagem de 1 Timóteo e Tito,* p. 199.
[231] CALVINO, Juan. *Comentarios a las epístolas pastorales de San Pablo,* p. 371.
[232] WIERSBE, Warren W. *With the word,* p. 807,808.
[233] BARCLAY, William. *I y II Timoteo, Tito y Filemon,* p. 269.
[234] SPAIN, Carl. *Epístolas de Paulo a Timóteo e Tito,* p. 204.
[235] STOTT, John. *A mensagem de 1 Timóteo e Tito,* p. 201.
[236] BURKI, Hans. *Carta aos Tessalonicenses, Timóteo, Tito e Filemom,* p. 419.
[237] PIPER, John. *A paixão de Cristo.* São Paulo: Cultura Cristã, 2006, p. 99.
[238] STOTT, John. *A mensagem de 1 Timóteo e Tito,* p. 201.
[239] KELLY, J. N. D. *I e II Timóteo e Tito: Introdução e comentário,* p. 224.

Capítulo 6

Relacionamentos que glorificam a Deus
(Tt 3.1-15)

A CARTA DE PAULO A TITO RESSALTA DE maneira esplêndida a profunda conexão que existe entre teologia e vida, doutrina e dever. No capítulo 1, Paulo tratou do dever do cristão em relação à igreja. No capítulo 2, do dever do cristão em relação à família; e, no capítulo 3, ele trata do dever do cristão em relação ao mundo. A doutrina inspira o dever, e o dever adorna a doutrina. A doutrina e o dever estão casados; e que nada os separe![240]

Kelly diz que, até esse capítulo, Paulo havia se ocupado com a ordem interna das igrejas de Creta e com os deveres dos seus membros uns com os outros. Agora, faz um breve comentário sobre seu relacionamento com o poder civil e o ambiente pagão em geral.[241] Concordo com Edmond Hiebert quando diz que a pregação da igreja primitiva jamais foi limitada à salvação, mas também incluía instruções concernentes às implicações práticas da salvação para a vida diária. Os cristãos deveriam produzir um impacto positivo na vida da sociedade.[242]

A vida cristã trata do nosso correto relacionamento com as autoridades, com o próximo e com Deus. Vamos examinar mais detidamente esses tópicos.

A relação do cristão com as autoridades (3.1)

"Lembra-lhes que se sujeitem aos que governam, às autoridades; sejam obedientes, estejam prontos para toda boa obra" (3.1). As verdades cristãs precisam ser ensinadas e repetidas. Paulo começa o capítulo ordenando que Tito lembre aos cristãos seu compromisso em relação ao Estado e às autoridades constituídas. Paulo já havia falado aos cretenses sobre esse importante assunto quando esteve com Tito naquela ilha. Agora, por meio dessa carta, relembra-os dos mesmos ensinos. Não precisamos ter nenhum constrangimento de repetir as mesmas verdades. Essa era uma prática apostólica.

O cristão tem dupla cidadania: é cidadão do céu e também do mundo. Ele deve obediência a Deus e também às autoridades constituídas. Duas coisas são exigidas do cristão em relação às autoridades.

Em primeiro lugar, *submissão* (3.1). Aqueles que governam são autoridades constituídas pelo próprio Deus e devem ser respeitados e obedecidos. A obediência civil é responsabilidade do cristão. Ele não pode ser anarquista nem agitador social, uma vez que resistir à autoridade é insurgir-se contra o próprio Deus que a constituiu.

Escrevendo aos romanos, Paulo diz que não há autoridade que não tenha sido instituída por Deus (Rm 13.1). Essa ordem de Paulo foi dada em virtude das tensões sociais e políticas que pairavam na ilha de Creta. William Barclay, citando Políbio, historiador grego, diz que os cretenses estavam constantemente envolvidos com "insurreições, assassinatos e guerras destruidoras".[243]

A ilha de Creta havia sido subjugada por Roma em 67 a.C., e desde então permaneceu resistente ao jugo colonial romano.[244] Paulo já havia destacado a atitude insubordinada dos cretenses (1.10,16). Agora, Tito deveria orientar os cristãos de Creta a serem submissos aos seus governantes. A obediência dos cristãos como cidadãos deveria ornar a doutrina que pregavam.

A obediência civil, porém, tem limites. O Estado não é dono da consciência dos homens. Sempre que o Estado se torna absolutista e opressor, invertendo e subvertendo a ordem, promovendo o mal e coibindo o bem, os cristãos têm o direito e até o dever de desobedecer. "Antes, importa obedecer a Deus do que aos homens" (At 5.29). A autoridade é constituída por Deus para promover o bem e coibir o mal (Rm 13.4).

John Stott está correto quando diz que não podemos cooperar com o Estado se ele reverter o seu dever dado por Deus, promovendo o mal em vez de puni-lo e opondo-se ao que é bom em vez de recompensá-lo e promovê-lo.[245] Hans Burki nessa mesma linha diz que a oração pelas autoridades (1Tm 2.1,2) e a obediência às suas instruções não significam aceitar passivamente atos condenáveis do governo e muito menos sacramentá-los. Quem ora pelas autoridades coloca-se sob o senhorio e o tribunal de Deus.[246]

Em segundo lugar, *obediência* (3.1). A submissão implica obediência e cumprimento dos deveres. O cristão deve cumprir as leis e instruções das autoridades civis e pagar seus impostos com fidelidade (Rm 13.6). O cristão deve ser um cidadão exemplar, estando pronto para toda boa obra. Ele não é um problema para a sociedade, mas um benfeitor. O cristão deve ser cooperativo nos assuntos que envolvem toda a comunidade, uma vez que a cidadania celestial (Fp 3.20) não o isenta de suas responsabilidades como cidadão da terra.[247]

A relação do cristão com seus concidadãos (3.2)

O cristão deve relacionar-se positivamente não apenas com as autoridades, mas também com seus pares, ou seja, com todos os membros da comunidade. Devemos ter relacionamentos corretos não apenas dentro da igreja, mas também com os não-crentes. O apóstolo Paulo menciona quatro atitudes que um cristão deve cultivar no trato com seus concidadãos.

Em primeiro lugar, *não destruir a reputação das pessoas* (3.2). A ordem apostólica é enfática: "Não difamem a ninguém...". A palavra grega *blasfemia* traduzida por "difamação" traz a ideia de falar mal com o propósito de ferir.[248] A difamação é um assassinato moral. É usar a espada da língua para ferir e destruir a reputação das pessoas. O cristão não deve caluniar ninguém. O pecado da língua é um dos mais devastadores na sociedade. A língua é fogo e veneno. Ela mata e destrói. Aqueles que foram alvos da benignidade de Deus não podem ser instrumentos de maldade para ferir as pessoas. Uma das maneiras mais aviltantes de promover a si mesmo é falar mal dos outros.

Em segundo lugar, *não destruir o relacionamento com as pessoas* (3.2). O apóstolo continua: "[...] nem sejam altercadores...". Altercar é criar confusão, provocar contendas, envolver-se em discussões que ferem as pessoas e destroem os relacionamentos. Devemos pavimentar o caminho do diálogo em vez de sermos geradores de conflitos. Aqueles que foram reconciliados com Deus devem buscar a reconciliação com as pessoas em vez de serem altercadores.

Em terceiro lugar, *não cavar abismos, mas construir pontes de contato com as pessoas* (3.2). Paulo prossegue: "[...] mas cordatos...". O cristão precisa ser uma pessoa polida. Sua língua deve ser medicina e não espada. Precisamos tratar uns aos outros com dignidade e respeito. Precisamos viver em paz uns com os outros.

A palavra grega, *epiekes*, "cordato", descreve a pessoa que não se atém somente à lei. O homem *epiekes* está sempre pronto a temperar a justiça com a misericórdia. Trata-se da consideração indulgente para com as debilidades humanas.[249] O homem *epiekes* é aquele que, mesmo tendo o direito de usar a justiça, opta por agir com misericórdia.

Em quarto lugar, *não lutar pelos próprios direitos, mas entregá-los a Deus* (3.2). Paulo conclui: "[...] dando provas de toda cortesia, para com todos os homens". A palavra grega *prauteta* usada pelo apóstolo vem de *praus*, "manso". Essa palavra descreve uma pessoa cujo temperamento está sempre sob controle.[250]

A mansidão não é um atributo natural. Não é virtude, é graça. Ser manso não é ser frouxo ou ficar impassível diante dos problemas. Ser manso não é ser tímido ou covarde. Não é manter a paz a qualquer custo.[251] Ser manso é não lutar pelos próprios direitos.

Concordo com Hans Burki quando afirma que mansidão não é sinal de fraqueza, mas de verdadeira força. Os mansos, e não os violentos, é que tomarão posse da terra.[252] Uma pessoa mansa é aquela que entregou seus direitos a Deus.

Fritz Rienecker diz que mansidão é aquela atitude humilde que se expressa na submissão às ofensas, livre de malícia e de desejo de vingança.[253] A palavra *praus* era usada para descrever um cavalo domado e se referia ao poder sob controle.[254]

A relação do cristão com Deus (3.3-8)

O apóstolo Paulo, tendo tratado dos preceitos éticos e sociais nos versículos 1 e 2, agora dá a fundamentação teológica para um comportamento adequado na vida pública. A nossa correta relação com as autoridades e com as demais pessoas é consequência da nossa correta relação com Deus. A obra de Deus por nós e em nós pavimenta o caminho para a obra de Deus por nosso intermédio.

John Stott considera o texto em apreço talvez como a declaração de salvação mais completa que há no Novo Testamento. Paulo elenca seis ingredientes da salvação – sua necessidade (por que é necessária); sua origem (de onde ela provém); a base (onde ela se firma); o meio (pelo qual ela chegou até nós); seu propósito (para onde ela leva); e sua evidência (como ela dá provas de si).[255]

Paulo faz uma transição acerca do que devemos fazer para aquilo que Deus fez por nós. Ele agora fala de forma clara sobre os elementos da nossa salvação. John Stott esclarece esse ponto, comentando os seis ingredientes da salvação.

Em primeiro lugar, *a necessidade da salvação* (3.3). "Pois nós também, outrora, éramos néscios, desobedientes, desgarrados, escravos de toda sorte de paixões e prazeres, vivendo em malícia e inveja, odiosos e odiando-nos uns aos outros".

O pecado atingiu todas as nossas faculdades: razão, emoção e volição. Estávamos perdidos e condenados. Os conversos ao cristianismo não eram melhores que seus semelhantes pagãos. A retidão cristã não torna a pessoa orgulhosa, mas agradecida.[256]

O grande pregador inglês do século 18, George Whitefield, quando via alguém caído na sarjeta, dizia: *Ali estaria eu, não fora a graça de Deus*. Não encontramos a Deus, fomos encontrados por ele. Não amávamos a Deus, fomos amados por ele. Não salvamos a nós mesmos, fomos salvos por ele. Se Deus não tivesse colocado seu coração em nós estaríamos arruinados inexoravelmente. Longe de enumerar pretensas virtudes pelas quais deveríamos ser salvos, Paulo faz um diagnóstico sombrio da nossa condição antes de sermos salvos.

Nós éramos néscios (3.3). Nossa mente estava corrompida pelo pecado. A estultícia e a insensatez eram as marcas registradas da nossa vida. Nossos conceitos estavam errados, nossos valores distorcidos e nossos desejos corrompidos. A palavra encerra o sentido de cegos à realidade de Deus e da sua lei.[257]

William Hendriksen diz que "néscio" é o indivíduo não apenas ignorante, mas também por natureza incapaz de discernir as coisas do Espírito.[258] Hans Burki é absolutamente claro quando diz que o aspecto sedutor desse pecado é que ele amortece a percepção da pecaminosidade do pecado.[259]

Nós éramos desobedientes (3.3). Nosso coração, além de tolo e obtuso, era também rebelde e desobediente à autoridade divina e humana. Nossa inclinação era toda para o mal. Éramos transgressores da lei e rendidos a toda sorte de pecado. Estávamos depravados não só na mente, mas também na moral. Kelly diz que essa desobediência passava também por uma impaciência com a autoridade.[260]

Nós estávamos desgarrados (3.3). Não tínhamos deleite em Deus nem em sua Palavra; antes, nos desviávamos como ovelhas errantes. Cada passo que dávamos era para nos afastar mais de Deus. Essa palavra sugere que os cretenses tinham deixado o caminho certo e eram simplórios nas mãos de guias falsos.[261]

Nós éramos escravos de toda sorte de paixões e prazeres (3.3). Estávamos com a coleira do diabo no pescoço. Éramos vítimas de forças malignas que não podíamos controlar.[262] Vivíamos presos com grossas cordas, sujeitos a toda sorte de desejos pervertidos e embriagados por todas as taças dos prazeres mais aviltantes. Sentíamos total inapetência pelos banquetes de Deus, mas profunda avidez pelo cardápio do pecado.

Nós vivíamos em malícia e inveja (3.3). Nossa mente era cheia de maldade e sujeira. Vivíamos rendidos à inveja, cobiçando o que não nos pertencia. A malícia ou maldade é o que se faz quando se deseja o mal a alguém, e inveja é ressentir-se e desejar o bem que outros têm. Essas duas atitudes insensatas interrompem todo relacionamento humano.[263]

William Hendriksen diz que "inveja" é olhar com má disposição a outra pessoa devido ao que ela é ou ao que ela tem. A pessoa invejosa sente um profundo desprazer ao ver a felicidade e a prosperidade do outro. Foi exatamente a inveja que induziu Caim a assassinar seu irmão Abel. Foi a inveja que lançou José na cisterna e fez Coré, Datã e Abirão se rebelar contra Moisés e Arão. Foi a inveja que induziu Saul a perseguir a Davi e fez os sacerdotes e escribas crucificarem a Jesus.[264]

Nós éramos odiosos e vivíamos odiando-nos uns aos outros (3.3). Nosso relacionamento com nós mesmos e com os outros estava em crise. Éramos odiosos e, por isso, odiávamos. Fazíamos o que éramos. Quando o nosso relacionamento com Deus está rompido, não conseguimos conviver conosco nem com as outras pessoas. Longe de Deus somos uma verdadeira guerra civil ambulante.

Em segundo lugar, *a origem da salvação* (3.4). O apóstolo Paulo diz: "Quando, porém, se manifestou a benignidade de Deus, nosso Salvador, e o seu amor para com todos". A iniciativa da salvação foi de Deus. A salvação é obra de Deus do começo ao fim. A salvação tem sua gênese não em nosso coração, mas no coração amoroso de Deus. A benignidade e o amor de Deus são a fonte e a origem da nossa salvação. Essa benignidade e esse amor de Deus são evidenciados no nascimento, vida, morte e ressurreição de Jesus. No versículo 5, Paulo fala da misericórdia divina e, no versículo 7, da sua graça que nos justifica. Dessa forma, Paulo elenca quatro palavras benditas (benignidade, amor, misericórdia e graça) que são as colunas de sustentação da nossa salvação. É importante ressaltar que não foi o sacrifício de Cristo na cruz que despertou o coração de Deus para nos amar, mas foi o amor de Deus que levou Jesus à cruz. A cruz de Cristo não é a causa do amor de Deus, mas o seu resultado.

Em terceiro lugar, *a base da salvação* (3.7). Paulo continua: "A fim de que, justificados por graça...". A salvação não é resultado das nossas obras para Deus, mas da obra de Deus por nós em Cristo. Não é algum sacrifício meritório que fazemos para Deus, mas o sacrifício substitutivo e eficaz que Cristo fez por nós na cruz.

A base da nossa salvação é a morte expiatória de Cristo. Cristo morreu em nosso lugar e em nosso favor. Pagou a nossa dívida e satisfez as demandas da lei e da justiça de Deus por nós. Ele morreu a nossa morte e por seu sacrifício vicário Deus nos declara justos. A base da nossa justificação não são os atos de justiça praticados por nós (3.4).

A misericórdia de Deus o constrangeu a entregar seu Filho e não poupá-lo. Embora a cruz não seja citada aqui pelo apóstolo Paulo, ela está presente, uma vez que Cristo se entregou para a nossa salvação (2.14). Concordo com John Stott quando diz que a base da nossa salvação não são as nossas obras de justiça, mas a obra de misericórdia na cruz.[265]

Em quarto lugar, *o meio da nossa salvação* (3.5). Paulo prossegue: "Não por obras de justiça praticadas por nós, mas segundo sua misericórdia, ele nos salvou mediante o lavar regenerador e renovador do Espírito Santo". Nós somos salvos mediante o lavar regenerador e renovador do Espírito Santo.

A palavra grega *paliggenesia* significa "regeneração, novo nascimento". Era comum seu uso no estoicismo para as restaurações periódicas do mundo natural. Também era empregada em sentido escatológico, especialmente pelos judeus, para a renovação do mundo na época do Messias, mas aqui a palavra assume um novo significado, em vista do novo nascimento cristão, que é um fato pessoal.[266]

Pela justificação, Deus nos declara justos; pela regeneração, Deus nos transforma em justos. A justificação acontece fora de nós, no tribunal de Deus; a regeneração acontece dentro de nós, em nosso coração. Pela regeneração, somos transformados e feitos filhos de Deus. Tornamo-nos novas criaturas (2Co 5.17). Recebemos um novo coração, uma nova vida, um novo nome, uma nova família. Tornamo-nos coparticipantes da natureza divina. Nascemos de novo, de Deus, do alto, do Espírito.

Essa regeneração não é batismal. O batismo em si não pode lavar pecados nem regenerar o pecador. O batismo em si não faz de um pagão um cristão. A água do batismo é apenas um símbolo da obra do Espírito Santo. A regeneração é um atributo exclusivo do Espírito Santo. A igreja não administra a salvação mediante os sacramentos. Só o Espírito Santo pode regenerar e lavar o pecador e fazer dele uma nova criatura.

Embora muitos comentaristas considerem esse "lavar regenerador e renovador do Espírito Santo" como uma referência à água do batismo, apoiamos a interpretação de Edmond Hiebert, quando disse que, se a água do batismo produzisse o renascimento espiritual, teríamos de referendar a tese heterodoxa de que uma agência material produziria um resultado espiritual. Esse lavar regenerador e renovador, na verdade, é uma ação interior operada pelo Espírito e simbolizada pela água do batismo. No Novo Testamento, a experiência interna é proclamada pela confissão pública diante do povo no batismo.[267]

Enquanto a regeneração é um ato, a renovação é um processo que dura a vida toda. O ato da regeneração precede e origina o processo da renovação.[268] Concordo com William Hendriksen quando diz que a regeneração é uma obra inteiramente de Deus, mas na renovação ou santificação tomam parte Deus e o homem. Se a regeneração não é percebida em forma direta pelo homem, senão pelos seus efeitos, a renovação exige a rendição consciente e contínua do homem e de toda a sua personalidade à vontade de Deus.[269]

Em quinto lugar, *o propósito da nossa salvação* (3.7b). Paulo ainda diz: "a fim de que [...] nos tornemos seus herdeiros, segundo a esperança da vida eterna". Deus não nos salvou no pecado, mas do pecado. Ele não nos justificou para continuarmos vivendo em injustiça, mas para nos tornarmos seus herdeiros, segundo a esperança da vida eterna.

O propósito da salvação é que Deus seja glorificado por meio da nossa filiação. Éramos escravos das paixões infames; agora somos filhos de Deus, herdeiros de Deus e co-herdeiros com Cristo. Estávamos mortos, agora recebemos o dom da vida eterna. Fomos salvos da condenação do pecado na justificação. Somos salvos do poder do pecado na santificação e seremos salvos da presença do pecado na glorificação. Agora já temos o penhor da herança. Então, tomaremos posse definitiva e completa dela.

Em sexto lugar, *a evidência da salvação* (3.8). Paulo conclui:

> Fiel é esta palavra, e quero que, no tocante a estas coisas, faças afirmação, confiadamente, para que os que têm crido em Deus sejam solícitos na prática de boas obras. Estas coisas são excelentes e proveitosas aos homens.

Todos aqueles que creem em Deus devem ser solícitos na prática das boas obras. As boas obras não são a causa, mas a evidência da salvação. Não somos salvos pelas boas obras, mas para as boas obras. Não são as nossas boas obras que nos levam para o céu; nós é que as levamos para o céu (Ap 14.13).

John Stott faz um sumário desses seis ingredientes essenciais para a salvação, nos seguintes termos:

> Sua necessidade é devido ao nosso pecado, à nossa culpa e à nossa escravidão; sua origem é a bondade e o amor gracioso de Deus; sua

base não é o nosso mérito, mas a misericórdia de Deus, revelada na cruz; seu significado é a obra de regeneração e de renovação do Espírito Santo, sinalizada no batismo; seu objetivo é a nossa herança final da vida eterna; e sua evidência é a nossa diligente prática de boas obras.[270]

A relação de Tito com as pessoas (3.9-15)

Tendo abordado a questão da nossa relação com as autoridades, com o próximo e com Deus, Paulo agora trata da relação de Tito com as pessoas no contexto das questões eclesiásticas. Havia várias ordens do apóstolo para Tito.

Em primeiro lugar, *evitar discussões sem proveito* (3.9). Paulo diz: "Evita discussões insensatas, genealogias, contendas e debates sobre a lei; porque não têm utilidade e são fúteis". Paulo não proíbe todo tipo de discussão. Precisamos batalhar pela fé e reprovar toda distorção da verdade. A apologética é uma real necessidade. Precisamos combater a heresia e defender a sã doutrina. Paulo, porém, condena a discussão fútil, sem proveito, sem implicações práticas na vida espiritual. Não podemos perder o foco, desviando-nos da obra para gastarmos nossa energia com conversas inúteis.

Os rabinos judeus passavam seu tempo construindo genealogias imaginárias das personagens do Antigo Testamento. Os escribas passavam intermináveis horas discutindo o que se podia e o que não se podia fazer no sábado.[271] Essas coisas deviam ser evitadas pelos cristãos. William Barclay está correto quando diz que é mais fácil discutir teologia do que praticá-la.[272]

Em segundo lugar, *disciplinar as pessoas facciosas* (3.10,11). O apóstolo Paulo exorta: "Evita o homem faccioso, depois de admoestá-lo primeira e segunda vez, pois sabes que tal pessoa está pervertida, e vive pecando, e por si mesma está condenada". Desse termo "faccioso", *hairetikos,* deriva nossas palavras herege, herético, sectário. O substantivo subjacente tem o sentido de escola, um grupo de pessoas; depois negativamente: partido, seita. Quem escolhe arbitrária e autocraticamente algo especial para si do todo da verdade, e arrasta "discípulos atrás de si", é um sectário; e um grupo ou igreja assim separados são uma seita.[273]

Tito deveria evitar pessoas que gostavam de criar partidos dentro da igreja e semear a cizânia da heresia e da discórdia. Nada machuca mais a igreja do que aqueles que se apartam da verdade e vivem criando mal-estar, ferindo a comunhão, falando mal das pessoas e maculando sua honra. A palavra grega *hairetikos,* traduzida por "faccioso", é muito sugestiva. William Barclay comenta a respeito:

> O verbo grego *hairein* significa "eleger"; e a palavra grega *hairesis* significa "partido, escola ou seita". Originalmente a palavra não tinha nenhum significado negativo. Uma *hairesis* era apenas um partido ao qual uma pessoa desejava pertencer. O significado negativo aparece quando uma pessoa erige sua opinião privada contra todo ensino, acordo e tradição da igreja. Um herege é simplesmente uma pessoa que decidiu que está certa e que todos os demais estão equivocados. O herege é a pessoa que transforma as próprias ideias na prova e na medida de toda a verdade.[274]

Kelly nessa mesma linha de pensamento ainda nos ajuda a compreender o pano de fundo da palavra *hairesis.* Diz ele que a palavra traduzida por "homem faccioso", *hairetikos,* ocorre somente aqui na Bíblia. O substantivo cognato *hairesis,* no entanto, é usado em Atos com o significado neutro de "partido" ou "escola de pensamento" (em 5.17, dos saduceus; em 15.5, dos fariseus; em 24.5, dos cristãos), mas por Paulo com o significado pejorativo de "panelinhas partidárias" (1Co 11.19; Gl 5.20). Dessa forma, o sentido de "separatista" ou "sectário" se encaixa admiravelmente na passagem e está de pleno acordo com o uso de *hairesis* feito pelo apóstolo.

O que perturbava as igrejas de Creta era a tendência de os falsos mestres formarem grupos dissidentes, dividindo assim o corpo de Cristo.[275] O erro dessas pessoas estava ligado tanto à doutrina quanto à ética, tanto à teologia quanto à vida.

Paulo diz que devemos ter limites em nossa relação com as pessoas facciosas (3.10,11). Depois de admoestar essas pessoas uma primeira e segunda vez, em caso de contumaz obstinação, a igreja deve discipliná-las e excluí-las da comunhão. Nada pode ser feito com um homem que deliberadamente persiste em dividir a união da igreja, diz Kelly.[276]

John Stott esclarece que era necessário ministrar disciplina em três estágios a tal pessoa, começando com duas claras advertências. Somente então, depois disso – se a pessoa não se arrepender, recusando a oportunidade de ser perdoada e de ser restaurada – é que ela deve ser rejeitada e excluída da filiação da igreja (3.10).[277]

William Hendriksen sintetiza esse ponto de forma clara:

> A disciplina sempre deve brotar do amor, de um desejo de curar, jamais do desejo de desfazer-se de um indivíduo. Todo esforço deve ser feito no sentido de recuperar o faltoso. Se depois de ser admoestado com carinho, o membro recusar arrepender-se e continuar com sua má conduta no meio da congregação, a igreja por meio de seus dirigentes e por intermédio de toda a congregação deve redobrar os seus

esforços. Deve haver uma segunda advertência. Contudo, se ainda esse remédio fracassar, o tal deve ser expulso. Mesmo essa medida extrema tem como propósito a recuperação do pecador. Todavia, esse não pode ser o único propósito. Não se deve perder de vista nunca o bem-estar da igreja para a glória de Deus, uma vez que esse é o objeto principal da disciplina.[278]

Em terceiro lugar, *encontrar-se com Paulo em Nicópolis* (3.12). Paulo continua: "Quando te enviar Ártemas ou Tíquico apressa-te a vir até Nicópolis ao meu encontro. Estou resolvido a passar o inverno ali". Paulo estava fazendo uma troca de obreiros, enviando Ártemas ou Tíquico para ocupar o lugar de Tito em Creta.

As igrejas da ilha de Creta não podiam ficar sem uma sólida liderança espiritual. As condições ainda eram demasiadamente graves para as igrejas ficarem sem uma robusta orientação espiritual. Tito não deveria se ausentar da ilha senão depois que o seu substituto chegasse. Logo, porém, que esse obreiro chegasse, Tito deveria encontrar-se com Paulo em Nicópolis (a cidade da vitória), pois era sua intenção passar ali o inverno.

Nicópolis era a capital de Épiro, na costa ocidental da Grécia. Era o melhor centro de trabalho da província romana de Dalmácia. É muito provável que Tito tenha ido encontrar-se com Paulo nessa cidade, tendo em vista que mais tarde realizou um trabalho de evangelização nessa região da Dalmácia (2Tm 4.10).

Nicópolis foi fundada por Otaviano (mais tarde Augusto César) em 31 a.C. para assinalar seu triunfo sobre Antonio e Cleópatra em Actio.[279]

Em quarto lugar, *encaminhar Zenas e Apolo* (3.13). Paulo prossegue: "Encaminha com diligência Zenas, o intérprete da lei, e Apolo, a fim de que não lhes falte coisa alguma". Tito deveria prover de donativos e recursos esses dois obreiros na obra itinerante que estavam realizando. Possivelmente foram eles os portadores dessa carta de Paulo a Tito. As igrejas de Creta deveriam suprir-lhes as necessidades nessa nova viagem que estavam para iniciar.

Apolo era um mestre bem conhecido na igreja (At 18.24), porém nada sabemos sobre Zenas. Paulo o chama de "o intérprete da lei". A palavra grega *nomikos* é a mesma utilizada para descrever o escriba. Talvez ele fosse um rabino judeu convertido a Cristo. A palavra *nomikos* era usada também para "advogado". Assim, Zenas seria o único advogado mencionado no Novo Testamento.[280]

Em quinto lugar, *estimular os crentes à prática das boas obras* (3.14). Paulo ainda diz: "Agora, quanto aos nossos, que aprendam também a distinguir-se nas boas obras a favor dos necessitados, para não se tornarem infrutíferos".

A salvação é de graça, mas é demonstrada pelas obras. Recebemos a salvação de graça, mas a recompensa é recebida pelas obras. Aqueles que foram objetos do amor de Deus devem agora abrir o coração para os necessitados. Aqueles que receberam o derramamento abundante do Espírito devem ser frutíferos na prática de boas obras. É interessante que os cristãos devem trabalhar não apenas para suprir as próprias necessidades, mas também para ter algo que possam dar aos outros.

Em sexto lugar, *ser receptáculo e canal do amor fraternal* (3.15). Paulo conclui: "Todos os que se acham comigo te saúdam; saúda quantos nos amam na fé. A graça seja com todos vós". Tito deveria receber e transmitir as saudações dos irmãos. Não deveria ser apenas um receptáculo, mas também um canal do amor fraternal. A igreja precisa ser um lugar de onde fluem abundantemente as torrentes do amor. Não somos um mar Morto que retém as águas, mas um mar da Galileia que as distribui. Nossa vida deve ter portas abertas para receber amor e janelas abertas para demonstrar amor.

Paulo termina essa pequena carta pastoral rogando a graça de Deus sobre todos os crentes. John Stott está correto quando diz que, ao pronunciar a sua bênção, Paulo olha para além de Tito, para todos os membros das igrejas cretenses, de fato para todos os que posteriormente leriam a sua carta, inclusive nós (3.15b).[281] A graça é a fonte da vida e melhor do que a vida. Por ela somos salvos, por ela vivemos e por ela entraremos nos páramos celestiais.

Antes de fechar as cortinas dessa preciosa carta, é bom voltar os olhos ao passado, atendendo à exortação de Paulo (3.1), e relembrar algumas coisas. Warren Wiersbe nos sugere quatro lembranças, como veremos em seguida.[282]

Relembre o que devemos fazer (3.1,2). O cristão é cidadão da terra e do céu, e deve ser submisso e obediente. Deve ser bênção onde vive, e não causador de problemas.

Relembre o que nós fomos (3.3). Estávamos mergulhados em densas trevas. Éramos prisioneiros do diabo, do mundo e da carne. Estávamos condenados, perdidos e depravados. Porém, Deus perdoou os nossos pecados e nos amou e nos escolheu não por causa de nós, mas apesar de nós.

Relembre o que Deus fez por nós (3.4-7). A nossa salvação não é fruto do nosso merecimento, mas da generosa graça de Deus. Estávamos perdidos e fomos achados; estávamos mortos e recebemos vida.

Relembre o que Deus espera de nós (3.8-11). Um dos assuntos principais dessa carta é a prática das boas obras

(1.16; 2.7; 2.14; 3.1; 3.8; 3.14). As pessoas que estão ocupadas fazendo a obra do Senhor não têm tempo para discussões inúteis.

NOTAS DO CAPÍTULO 6

[240] STOTT, John. *A mensagem de 1Timóteo e Tito*, p. 217.
[241] KELLY, J. N. D. *I e II Timóteo e Tito: Introdução e comentário*, p. 224.
[242] HIEBERT, D. Edmond. *Titus* in *Zondervan NIV Bible Commentary*, p. 930.
[243] BARCLAY, William. *I y II Timoteo, Tito y Filemon*, p. 270.
[244] STOTT, John. *A mensagem de 1Timóteo e Tito*, p. 204.
[245] STOTT, John. *A mensagem de 1Timóteo e Tito*, p. 204.
[246] BURKI, Hans. *Carta aos Tessalonicenses, Timóteo, Tito e Filemom*, p. 420.
[247] WIERSBE, Warren W. *Comentário bíblico expositivo*. Vol. 6, 347.
[248] BARNES, Albert. *Barnes' Notes on the Old & New Testaments (Thessalonians-Philemon)*, p. 281.
[249] BARCLAY, William. *I y II Timoteo, Tito y Filemon*, p. 271.
[250] BARCLAY, William. *I y II Timoteo, Tito y Filemon*, p. 272.
[251] LOPES, Hernandes Dias. *A felicidade ao seu alcance*. São Paulo, Hagnos, 2008, p. 48,49.
[252] BURKI, Hans. *Carta aos Tessalonicenses, Timóteo, Tito e Filemom*, p. 421.
[253] RIENECKER, Fritz; Rogers, Cleon. *Chave linguística do Novo Testamento Grego*, p. 9.

[254] WIERSBE, Warren W. *Comentário bíblico expositivo*, p. 24.
[255] STOTT, John. *A mensagem de 1 Timóteo e Tito*, p. 206.
[256] BARCLAY, William. *I y II Timoteo, Tito y Filemon*, p. 272.
[257] J. N. D. Kelly. *I y II Timóteo e Tito: Introdução e comentário*, p. 226.
[258] HENDRIKSEN, Guillermo. *1 y 2 Timoteo e Tito*, p. 440.
[259] BURKI, Hans. *Carta aos Tessalonicenses, Timóteo, Tito e Filemom*, p. 422.
[260] Kelly, J. N. D. *I e II Timóteo e Tito: Introdução e comentário*, p. 226.
[261] Kelly, J. N. D. *I e II Timóteo e Tito: Introdução e comentário*, p. 226.
[262] STOTT, John. *A mensagem de 1 Timóteo e Tito*, p. 207.
[263] STOTT, John. *A mensagem de 1 Timóteo e Tito*, p. 207.
[264] Hendriksen, Guillermo. *1 e 2 Timóteo y Tito*, p. 441.
[265] STOTT, John. *A mensagem de 1 Timóteo e Tito*, p. 209.
[266] Rienecker, Fritz; Rogers, Cleon. *Chave linguística do Novo Testamento Grego*, p. 486.
[267] HIEBERT, D. Edmond. *Titus* in *Zondervan NIV Bible Commentary*, p. 932.
[268] HENDRIKSEN, Guillermo. *1 y 2 Timoteo y Tito*, p. 444.
[269] HENDRIKSEN, Guillermo. *1 y 2 Timoteo y Tito*, p. 445.
[270] STOTT, John. *A mensagem de 1 Timóteo e Tito*, p. 212.
[271] BARCLAY, William. *I y II Timoteo, Tito y Filemon*, p. 277.
[272] BARCLAY, William. *I y II Timoteo, Tito y Filemon*, p. 277.
[273] BURKI, Hans. *Cartas aos Tessalonicenses, Timóteo, Tito e Filemom*, p. 428.
[274] BARCLAY, William. *I y II Timoteo, Tito y Filemon*, p. 277.
[275] KELLY, J. N. D. *I e II Timóteo e Tito*, p. 230,231.
[276] KELLY, J. N. D. *I e II Timóteo e Tito*, p. 231.
[277] STOTT, John. *A mensagem de 1 Timóteo e Tito*, p. 215.
[278] HENDRIKSEN, Guillermo. *1 y 2 Timoteo y Tito*, p. 450.
[279] KELLY, J. N. D. *I e II Timóteo e Tito*, p. 232.
[280] BARCLAY, William. *I y II Timoteo, Tito y Filemon*, p. 278.
[281] STOTT, John. *A mensagem de 1 Timóteo e Tito*, p. 217.
[282] WIERSBE, Warren W. *With the word*, p. 808.

FILEMOM

Capítulo 1

Uma introdução à carta a Filemom

A CARTA DE PAULO A FILEMOM É um bilhete regado de profunda emoção. É pequeno no tamanho e imenso no conteúdo. Essa é a mais breve entre as cartas que formam a coletânea paulina e consiste apenas em 335 palavras no grego original.[283] No entanto, aborda temas profundíssimos, que nem toda uma enciclopédia poderia esgotar. Albert Barnes a chama de uma brilhante e bela gema no tesouro dos livros inspirados.[284]

William MacDonald afirma que, embora essa carta não seja doutrinária como as demais do apóstolo, é uma perfeita ilustração da doutrina da "imputação".[285]

Paulo se apresentou como mediador entre Onésimo e Filemom para quitar todo o débito de Onésimo. A dívida de Onésimo foi colocada na conta de Paulo, que se dispôs a pagá-la. Esse fato lança luz sobre a bendita verdade de que nossa dívida impagável não foi colocada em nossa conta (2Co 5.19), mas na conta de Cristo (2Co 5.21), e ele, com sua morte, rasgou o escrito de dívida que era contra nós, quitando completamente nosso débito. Além disso, sua justiça completa e perfeita foi colocada em nossa conta (2Co 5.21).

Embora alguns estudiosos a considerem a única carta particular de Paulo que temos,[286] o contexto nos deixa claro que Paulo a endereça também a Áfia, Arquipo e à igreja que se reunia na casa de Filemom.

O erudito Lightfoot tem razão quando diz que, conquanto as cartas pastorais também tenham sido endereçadas a indivíduos, elas discutiram importantes matérias da disciplina e governo da igreja. Obviamente, deveriam ser lidas por outras pessoas além daquelas para as quais foram imediatamente escritas. Entretanto, a carta a Filemom não menciona nenhuma questão de interesse público.

Ela é endereçada a um homem leigo. Está completamente ocupada com um incidente da vida doméstica. Talvez tenha sido uma das inumeráveis cartas pessoais do apóstolo escritas a seus amigos e irmãos para resolver questões pessoais. Contudo, para nós, essa carta foi preservada, dentre ampla variedade de outras cartas do apóstolo, como um tesouro precioso. Em nenhum lugar a influência social do evangelho é vista com tanta eloquência. Em nenhum lugar a nobreza do caráter do apóstolo transparece com tanto vigor quanto nesse incidente do veterano apóstolo rogando a favor de um escravo fugitivo.[287]

A epístola a Filemom é correlata à epístola aos Colossenses. Foram escritas do mesmo lugar, enviadas à mesma cidade (Cl 4.8,9) e redigidas pelo mesmo apóstolo. É provável que Filemom tenha sido escrita na mesma época que Colossenses, por volta do ano de 62 d.C. (Cl 4.7-9) e levada pelos mesmos emissários, ou seja, Tíquico e Onésimo.[288] Na verdade, as cartas aos Efésios, Colossenses e Filemom foram levadas pelo mesmo portador, ou seja, Tíquico (Ef 6.21,22; Cl 4.7-9).

Myer Pearlman diz que, pela impressão de cortesia, prudência e técnica de estilo que Paulo nos apresenta, essa carta tornou-se conhecida como a "epístola da cortesia". Não contém instrução alguma direta referente à doutrina ou conduta cristã. O seu valor principal encontra-se no quadro que ela nos oferece do funcionamento prático da doutrina cristã na vida diária e da relação do cristianismo com os problemas sociais.[289]

A autoria da carta

A autoria paulina dessa carta é consenso praticamente unânime entre os estudiosos. Até mesmo os arautos do liberalismo teológico, que ousaram questionar a legitimidade de autoria paulina de Timóteo e Tito, aceitam sem questionamento o fato de Paulo ser o autor dessa epístola. Alguns eminentes pais da igreja como Tertuliano, Eusébio e Orígenes também deram testemunho da autoria paulina dessa missiva.

John Peter Lange diz que a genuinidade dessa epístola é amplamente confirmada pelas evidências externas. Ela é mencionada no Cânon Muratoriano (do segundo século) e até mesmo o heterodoxo Marcion atribui sua autoria ao apóstolo Paulo.[290]

Por três vezes Paulo afirma que, ao escrever essa carta, é um prisioneiro (v. 1,9,23) e está sob algemas (v. 10,13). Alguns pensam que se trata de sua prisão em Éfeso ou Cesareia. As evidências, porém, favorecem a tese de que Paulo escreveu Filemom quando de sua primeira prisão em Roma.

Nos dois anos em que Paulo ficou preso em Roma, em regime de prisão domiciliar, teve a oportunidade de ministrar a Palavra de Deus a muitas pessoas (At 28.17-31). Nesse tempo escreveu as cartas aos Efésios, Filipenses, Colossenses e Filemom. Foi nesse período que Onésimo, escravo de Filemom, fugiu de Colossos para Roma e nessa fuga acabou preso na capital do império. Por providência divina foi parar exatamente onde estava o apóstolo Paulo.

Ralph Martin diz que a natureza do delito do escravo não é certa. Usualmente é suposto que tenha furtado dinheiro e depois fugido (v. 18). No entanto, como a lei romana exigia que aquele que oferecesse hospitalidade a um escravo fugitivo fosse devedor ao senhor do escravo do montante de cada dia de trabalho perdido, pode ser que a promessa de Paulo de ser fiador (v. 19) nada mais tenha sido do que a garantia dada a Filemom que ele pagaria o montante incorrido pela ausência de Onésimo do seu serviço.[291]

Tão logo Onésimo foi colocado diante de Paulo na prisão, o apóstolo, não perdendo a oportunidade, ganhou-o para Cristo e o gerou entre algemas (v. 10). O escravo que havia roubado ao seu senhor está pronto a voltar a Colossos e a Filemom. A restituição tornava-se imperativa.

Essa carta mostra de forma eloquente o caráter compassivo de Paulo. Ele é um homem cheio de compaixão por uma pessoa que passa por aflição, e está disposto a fazer tudo que esteja ao seu alcance para ajudar, mesmo que lhe custe alguma coisa (v. 19). A carta reflete as características pessoais do apóstolo, como tato, generosidade, autossacrifício e amabilidade. Cada uma das partes era conclamada a fazer alguma coisa difícil: quanto a Paulo, privar-se do serviço e do convívio de Onésimo; quanto a Onésimo, voltar ao seu senhor e dono a quem fizera uma injustiça; quanto a Filemom, perdoar.[292]

O tempo e o lugar da composição da carta

O tempo e o lugar em que a carta a Filemom foi escrita coincidem com a data e o lugar da composição das cartas aos Colossenses, Filipenses e Efésios. É meridianamente claro que Paulo escreveu da prisão (v. 1). Os estudiosos discutem se essa prisão aconteceu em Éfeso, Cesareia (At 24.27) ou Roma (At 28.30,31). Como já afirmamos, as evidências apontam para a primeira prisão em Roma. Somente dessa prisão Paulo demonstra sua expectativa de sair para continuar proclamando o evangelho (Fp 1.19,20; 2.23,24; Fm 22).[293]

O destinatário da carta

Essa carta é endereçada a Filemom, um rico senhor de escravos, convertido a Cristo pelo ministério de Paulo (v. 1, 19), e também à igreja que se reúne em sua casa (v. 2). Possivelmente Filemom morava na cidade de Colossos, no vale do rio Lico, cidade próxima de Hierápolis e Laodiceia, na Ásia Menor. Filemom era marido de Áfia e pai de Arquipo, o pastor da igreja de Colossos. Assim, a carta nos apresenta uma família comum de uma pequena cidade da Frígia, no vale do Lico. Quatro membros são mencionados por nome: o pai, a mãe, o filho, e o escravo.[294]

Havia uma igreja que se reunia na própria casa de Filemom (v. 2). Essa família não apenas pertencia a Cristo, mas estava a serviço de Cristo. A casa deles não apenas havia sido transformada pelo poder do evangelho, mas estava a serviço do evangelho. Eles não apenas faziam parte da igreja, mas também abrigavam a igreja em sua própria casa.

Na sua terceira viagem missionária, Paulo trabalhou três anos na cidade de Éfeso, capital da Ásia Menor (At 20.31). Dali o evangelho irradiou-se por toda a Ásia (At 19.10). Foi nesse tempo que Filemom teve a oportunidade de ouvir o evangelho por intermédio de Paulo. O apóstolo tinha um estreito relacionamento com Filemom, cidadão abastado de Colossos. O relacionamento entre Paulo e Filemom é cordial, de confiança e parceria. Paulo o chama de irmão, amado, colaborador e companheiro (v. 1,17).[295]

Embora Paulo não tenha estado em Colossos (Cl 2.1), cultivava um profundo amor pela igreja daquela cidade e orava por ela incessantemente. Epafras, o fundador da igreja, estava agora com Paulo, preso em Roma (Cl 4.12,13; Fm 23). Arquipo, filho de Filemom, havia assumido o pastorado da igreja na ausência de Epafras (Cl 4.17).

A realidade da escravidão no império romano

A escravidão era parte integral do mundo antigo. Toda sociedade estava edificada sobre ela. No império romano havia mais de sessenta milhões de escravos no primeiro século. A sociedade vivia sob forte tensão e medo de uma rebelião desses escravos, por serem eles maioria absoluta. Por essa razão, sobretudo, os escravos eram extremamente oprimidos. Sempre que um escravo se mostrava rebelde, era imediatamente eliminado. Quando conseguia escapar, ao ser capturado, era marcado com ferro em brasa na testa com um *F* de fugitivo, e seu senhor podia castigá-lo até a morte ou crucificá-lo sumariamente.[296]

No império romano, nos dias de Paulo, era comum escravos fugirem da servidão. Normalmente, eles se juntavam a grupos de ladrões, na tentativa de se esconderem nos cais das grandes cidades.[297]

Na Itália, cerca de 90% da população era de escravos no primeiro século. Não havia leis regulamentares para defender o direito dos escravos. Na verdade, eles não tinham nenhum direito. Podiam ser castigados, presos, torturados e mortos.

William Barclay diz que um escravo não era uma pessoa; era uma ferramenta viva. Qualquer senhor de escravo tinha o direito de vida e de morte sobre seus escravos. Tinha poder absoluto sobre eles. Podia colocar argolas em suas orelhas, condená-los a tarefas pesadas, colocar cadeias em seus pés, castigá-los com golpes de vara, chicoteá-los. Podia colocar marca em sua fronte e, finalmente, se o escravo se mostrasse rebelde, podia até mesmo crucificá-lo.[298]

Como uma ferramenta viva, um escravo não tinha direitos, apenas deveres. Ele não era dono de sua liberdade, nem mesmo de seu corpo. Era apenas um instrumento de trabalho. Um indivíduo podia se tornar escravo naquele tempo ao nascer de uma mulher escrava; ou como punição de um crime; ou ao ser levado para outra terra; ou quando era conquistado por outra nação.

No regime do *Pater Potestas*, um pai podia vender o próprio filho como escravo. Finalmente, alguém podia tornar-se escravo para quitar uma dívida.[299]

Embora a escravidão esteja em completo desacordo com os preceitos e princípios das Escrituras, nem Jesus nem os apóstolos atacaram frontalmente essa prática. Cristo não veio ao mundo para capitanear uma revolução social. Ele não entrou no mundo como um rei político. Veio ao mundo como nosso redentor. Veio para morrer por nossos pecados. Veio para nos reconciliar com Deus.

É bem verdade que o cristianismo desestabilizou a escravidão e foi o principal instrumento de sua erradicação. O que essa epístola faz é nos levar a uma atmosfera em que a escravidão somente poderia murchar e morrer.[300] Aqueles que se convertem a Cristo passam a fazer parte da família de Deus, do corpo de Cristo. Os cristãos são um só corpo, sejam judeus ou gentios, escravos ou livres. Em Cristo não há judeus nem gregos; nem escravos nem livres; nem homens nem mulheres (Gl 3.28; Cl 3.11). Nessa nova relação os senhores deviam tratar com dignidade os seus servos e os servos deviam honrar os seus senhores (Ef 6.5,6).

John Nielson ainda esclarece esse ponto, assim:

> Paulo não ataca a escravidão diretamente. Ele não aconselha rebelião ou desafio à lei e ordem prevalecentes. Ao contrário, aconselha obediência ao governo (Rm 13.1). O que o apóstolo faz é elevar o assunto a um nível espiritual sublime. Ele soluciona a questão escravista não por compulsão, mas por redenção. Paulo mostra que o escravo crente é tão verdadeiramente irmão cristão e está tão realmente "em Cristo" quanto o senhor crente (Rm 12.4,5). Todos os cristãos estão igualmente em Cristo e, portanto, são membros do corpo de Cristo.[301]

O propósito da carta

Paulo escreve essa carta para enviar Onésimo, o escravo fugitivo, agora convertido a Cristo, de volta ao seu senhor. O evangelho o havia libertado espiritualmente, mas não o dispensava de seus deveres sociais. O evangelho não alforriou os escravos de seus deveres, mas quebrou suas algemas espirituais e os libertou para uma nova vida em Cristo. Não bastava a Onésimo estar arrependido de seu delito. A restituição era o passo seguinte a ser dado. E ambos, Paulo e Onésimo, decidiram por isso.

Possivelmente, Onésimo, além de fugir da casa de seu senhor, também havia subtraído alguns pertences de Filemom. Era duplamente culpado. Segundo a lei romana, ele podia ser preso, torturado e morto. Contudo, Onésimo fugindo da escravidão, encontra sua verdadeira liberdade em Cristo. Torna-se um novo homem. Agora, mesmo sob o jugo da escravidão, está verdadeiramente livre. Mesmo sendo útil a Paulo em Roma, o velho apóstolo resolve devolvê-lo ao seu dono. Antes, porém, roga em nome do amor, para que Filemom receba o escravo como a um irmão. Se antes Onésimo lhe parecia inútil, agora seria útil. Se antes ele era alvo de severa disciplina, agora deveria ser recebido como se fosse o próprio apóstolo Paulo em pessoa.

A tônica dessa carta é o perdão. Filemom deveria perdoar aquele a quem Deus já havia perdoado. Filemom não deveria punir aquele por quem Cristo já havia sido castigado na cruz. Filemom deveria receber como a um filho o escravo que o havia desonrado.

Bruce Barton acentua que Paulo escreve essa carta a favor de Onésimo, rogando a Filemom que veja o jovem "[...] muito acima de escravo, como irmão caríssimo" (v. 16). Assim, a expectativa de Paulo é que Filemom desse a Onésimo boas-vindas (v. 17), o perdoasse (v. 18,19) e talvez até o libertasse (v. 21). O apelo de Paulo foi baseado no amor de Cristo (v. 9), no seu relacionamento com Filemom (v. 17-19) e em sua autoridade apostólica (v. 8).[302]

Ralph Martin está correto quando diz que a petição de Paulo a Filemom para perdoar Onésimo era um pensamento revolucionário em contraste com o tratamento contemporâneo de escravos fugitivos, pelo qual o senhor deles podia tratar de prender e depois castigar com brutalidade. O senhor podia até mesmo mandar crucificar o escravo.[303]

Essa breve carta está repleta de sabedoria. A abordagem de Paulo é cheia de ternura e sensibilidade. Ele não ordena, roga. Ele não critica, elogia. Ele não prevalece pela força da autoridade, mas pela eloquência da brandura.

As principais ênfases da carta

A carta de Paulo a Filemom é uma joia de raro valor. Há tesouros inestimáveis que devem ser explorados nessa pequena epístola. Vamos destacar algumas de suas ênfases.

Em primeiro lugar, *o poder do evangelho*. O evangelho de Cristo é o poder de Deus para a salvação de todo o que crê. Ele transforma o rico e o pobre; o escravo e o livre; o patrão e o empregado; o rei e o vassalo. O evangelho rompe todas as barreiras, quebra todos os preconceitos, alcança todas as estratificações sociais e transforma o homem do palácio e também o da choupana, o da casa grande e também o da senzala.

O mundo ergue muralhas entre as pessoas, mas Jesus destrói esses muros. O mundo hoje divide e separa as pessoas pela cor de sua pele, pelo seu *status* social, econômico, cultural e religioso.

Jesus veio ao mundo para derrubar a parede de separação. Ele abraçou aqueles que todos escorraçavam. Ele acolheu aqueles que todos expulsavam. Ele amou aqueles que todos repudiavam. Jesus tocou os leprosos, conversou com as mulheres, abençoou as crianças, recebeu os publicanos e pecadores e abriu a porta do reino até mesmo para as prostitutas. Jesus estendeu sua graça aos odiados samaritanos e trouxe esperança para os gentios.

O apóstolo Paulo mostra nessa epístola, seguindo os passos do Mestre, que um rico senhor de escravos e um escravo fugitivo, convertidos a Cristo, são rigorosamente iguais perante os olhos de Deus. São membros da mesma família. Devem ser vistos como irmãos e amar-se como tal.

Arthur Rupprecht coloca essa verdade do poder do evangelho nos seguintes termos:

> Paulo, Filemom e Onésimo são personagens de um profundo significado social no drama da vida real. Cada um deles veio ao cristianismo de diferentes contextos e *background*. Paulo era um rigoroso judeu, da seita dos fariseus, perseguidor implacável da igreja. Filemom era um rico gentio asiático, enquanto Onésimo era um escravo, uma ferramenta viva, um ser desprezado e ainda fugitivo de seu senhor. Eles se encontraram unidos pelo evangelho de Cristo. São um exemplo vivo daquilo que o próprio Paulo escreveu: "Dessarte, não pode haver judeu nem grego; nem escravo nem liberto; nem homem nem mulher; porque todos vós sois um em Cristo Jesus" (Gl 3.28). Foi com base nessa singularidade do cristianismo que Paulo procurou solução para o problema existente entre Onésimo e Filemom.[304]

Em segundo lugar, *a igualdade do evangelho*. O evangelho de Cristo alcança senhores de escravos e também os escravos. Transforma homens de fina estirpe e também os que procedem das classes sociais mais humildes. Na família de Deus, o senhor de escravos não é melhor do que os escravos. No reino de Deus todos são iguais. Eles são membros da mesma família, são irmãos. Filemom deveria receber Onésimo não mais como um escravo, mas como um irmão amado.

Paulo agiu como advogado de Onésimo. Ele confiou que Onésimo voltaria ao seu senhor e se submeteria a ele, sujeitando-se às consequências de seus atos. Paulo confiava em Onésimo como um verdadeiro irmão na fé. Paulo não só endossou a volta do seu filho na fé ao seu senhor, mas dispôs-se a pagar quaisquer pendências financeiras do escravo fugitivo (v. 18).

O evangelho de Cristo não apenas torna as pessoas iguais, mas também as aproxima. Num tribunal secular, Filemom seria colocado de um lado e Onésimo do outro. De um lado estaria o patrão espoliado e do outro, o empregado ladrão. Porém, o evangelho transforma os corações, as circunstâncias e aproxima aqueles que as leis humanas só poderiam separar. Por meio da fé comum em Cristo Jesus, Filemom e Onésimo são unidos. Deus ainda reconcilia pessoas apesar de suas diferenças e ofensas.[305]

Em terceiro lugar, *a providência do evangelho*. Aquilo que parecia um desatino na vida de Onésimo, fugindo da casa de seu senhor, colocando-se sob a punição severa da lei, enveredando-se por um caminho de rebelião, acabou se tornando na estrada de seu encontro com Deus. Onésimo fugia de seu patrão, mas não conseguiu fugir de Deus. Nessa fuga, ele é capturado por Deus e encontra o real sentido da vida. Nessa corrida rumo à liberdade, ele encontra o evangelho de Cristo, que o liberta do pecado, sua escravidão mais opressiva.

Não temos informações precisas acerca do que aconteceu com Onésimo em Roma. Talvez ele tenha usado o dinheiro do seu senhor para fugir para a capital do império. Naquela época, a maior parte da população era formada de escravos. Onésimo pensou que ficaria incógnito na metrópole romana. Contudo, não tardou para que fosse surpreendido e capturado. Estava agora preso. Tentando escapar da escravidão estava agora diante da carranca da condenação e da morte. Foi então que se deparou na prisão com o apóstolo Paulo. Nesse tempo, Epafras, o fundador da igreja de Colossos, estava preso com Paulo em Roma. Possivelmente, reconheceu Onésimo, e as máscaras do escravo fugitivo caíram.

Porém, nesse momento de desespero, o apóstolo Paulo o evangelizou, falou-lhe das boas-novas de salvação, e aquele escravo fugitivo rendeu-se ao Salvador. Paulo o gerou entre cadeias. O escravo agora tornou-se filho na fé do velho apóstolo. Onésimo servia a Paulo na prisão. Um relacionamento de pai para filho foi desenvolvido entre o apóstolo dos gentios e o escravo convertido. O caminho sinuoso da fuga se transformou na trilha certa do encontro de Onésimo com Cristo. Quando pensou que havia chegado ao fundo do poço, Deus lhe estendeu a mão e ele foi salvo.

Em quarto lugar, *a graça do evangelho*. O evangelho de Cristo é maravilhoso. Não há casos irrecuperáveis para Deus. Não há poço tão fundo que o evangelho não seja mais profundo. A graça é maior do que o nosso pecado. Onésimo roubou, fugiu, escondeu-se, foi capturado e encarcerado, mas quando pensou que havia chegado ao fim da linha Deus lhe abriu a porta da esperança. Não há casos perdidos para Deus. Não há casos irrecuperáveis para o Deus de toda a graça. Deus ainda continua transformando escravos em livres. Deus ainda continua encontrando os fugitivos para lhes trazer de volta ao lar; não como cativos, mas, como livres, filhos e herdeiros.

Lutero disse acertadamente que todos nós somos *Onésimos*.[306] Todos nós éramos escravos do pecado. Todos nós andávamos errantes. Todos nós estávamos perdidos e fomos achados. Estávamos condenados e fomos libertados. Estávamos mortos e recebemos vida. Nossa salvação não é resultado do nosso mérito, mas pura expressão da graça. Nada somos, nada temos, nada merecemos. Porém, Deus, por sua graça nos amou, nos alcançou, nos libertou, nos transformou e nos adotou como seus filhos amados, membros de sua bendita família.

Em quinto lugar, *o perdão do evangelho*. A carta de Paulo a Filemom é um grande compêndio acerca do perdão. Aqueles que foram perdoados devem perdoar. Aqueles que foram libertados por Cristo devem despedaçar todo jugo. Aqueles que foram alvos da graça precisam ser canais dela. Aqueles que experimentaram o amor de Deus devem distribuir com generosidade esse amor. Filemom era amigo de Paulo, mas também o senhor de Onésimo. Ele poderia punir Onésimo como um ladrão fugitivo. Porém, Paulo roga a Filemom que o receba não com punição, mas com perdão, como a um verdadeiro irmão na família da fé (v. 17).

O nome "Onésimo" na língua grega significa "útil, proveitoso".[307] Porém, em certo momento Onésimo se tornou inútil a Filemom, mas agora lhe é útil (v. 11). Filemom o havia perdido por um tempo, para tê-lo agora para sempre (v. 15). Filemom deve recebê-lo novamente, ainda que não mais como escravo, mas como um irmão cristão (v. 16). Agora é um filho na fé do apóstolo Paulo e Filemom deve recebê-lo como se recebesse o próprio Paulo.[308]

Estou de pleno acordo com o que escreve Ralph Martin:

> O que percorre o apelo de Paulo é a correnteza da compaixão cristã (v. 12) e a lembrança poderosa de que Filemom já está devendo ao próprio Paulo (v. 19b), pois Filemom deve à pregação do evangelho

por Paulo a própria salvação, dentro da soberania de Deus. As notas características são, portanto: "[...] em nome do amor" (v. 9); "Reanima-me o coração em Cristo" (v. 20) e receba este escravo fugitivo "[...] como se fosse a mim mesmo" (v. 17), no sentido de Filemom ir além do limite do desejo de Paulo; e esse apelo é reforçado pela perspectiva da visita do apóstolo (v. 22).[309]

Em sexto lugar, *a vitória do evangelho*. A carta a Filemom mostra de forma eloquente a vitória do evangelho. O pecado afasta, o evangelho aproxima. O pecado destrói relacionamentos, o evangelho reconcilia. O pecado traz prejuízo, o evangelho faz restituição. O pecado produz tristeza e decepção, o evangelho promove alegria e contentamento. O pecado torna as pessoas prisioneiras, o evangelho as faz livres.

O evangelho de Cristo não lida apenas com meias medidas. O fato de Onésimo estar convertido não o desobriga de suas responsabilidades. Ele havia quebrado a lei, fugido da cidade de Colossos e também furtado ao seu senhor. Onésimo estava arrependido, mas ainda não tinha feito a devida restituição.[310]

A honestidade é uma virtude que deve ornar a vida do cristão. Onésimo não pode seguir seu caminho como um cristão sem voltar ao seu senhor e restituir o que lhe foi lesado. O cristão precisa andar na luz. Não pode empurrar o passado sujo para debaixo do tapete. Não pode deixar nódoas no seu caráter. Não pode viver na ilicitude.

É lamentável que muitos daqueles que professam o nome de Cristo estejam vivendo ao mesmo tempo na contramão da integridade moral. Nada é mais nocivo para o avanço do evangelho do que indivíduos professarem a fé evangélica e ao mesmo tempo viverem acobertando seus pecados em nome dessa fé.

Em sétimo lugar, *o valor do evangelho*. Myer Pearlman, expondo a carta de Paulo a Filemom, elenca cinco fatos magníficos que revelam o valor dessa epístola.[311] Vejamos cada um deles a seguir.

O seu valor pessoal. Essa epístola nos mostra de forma eloquente o caráter do apóstolo Paulo. Transbordam dessa pequena carta seu amor, humildade, cortesia, altruísmo e tato.

O seu valor providencial. Aprendemos nessa carta que Deus pode estar presente nas circunstâncias mais adversas (v. 15). Quando as coisas parecem fora de controle e as rédeas saem das nossas mãos, descobrimos que elas continuam rigorosamente sob o controle divino. Aquilo que nos parecia perda é ganho. Deus reverte situações humanamente impossíveis. Ele transforma vales em mananciais.

O seu valor prático. Se não há causa perdida para Deus, também, não há vida irrecuperável. Onésimo era um escravo rebelde e fugitivo. Nada havia nele que o pudesse recomendar. No entanto, pela graça de Deus ele foi salvo, transformado e voltou à casa de seu senhor não como um criminoso, mas como um amado irmão em Cristo, membro da família de Deus.

O seu valor social. O cristianismo venceu a escravidão não pela revolução das armas, mas pelo poder do amor. Como já mencionamos, na época de Paulo a escravidão era uma dolorosa realidade. Os escravos não tinham direitos legais. Pela mínima ofensa eles podiam ser açoitados, mutilados, crucificados ou entregues às feras. Não lhes era permitido matrimônio permanente, mas somente uniões temporais que podiam ser rompidas segundo a vontade do amo. Porém, a conversão a Cristo uniu na mesma família da fé e na mesma igreja senhores e servos. Amo e escravo foram unidos no Espírito de Cristo e nessa união foram extintas todas as distinções sociais (Gl 3.28).

O seu valor espiritual. A carta de Paulo a Filemom nos apresenta alguns símbolos notáveis da nossa salvação: Onésimo abandonando o seu amo. Paulo encontrando-o, intercedendo em seu favor, identificando-se com ele. O seu oferecimento de pagar a dívida e a recepção de Onésimo por Filemom por causa de Paulo; a restauração do escravo solicitada "[...] em nome do amor" (v. 9). Todas essas figuras lançam luz acerca da nossa grande salvação em Cristo.

NOTAS DO CAPÍTULO 1

[283] MARTIN, Ralph P. *Colossenses e Filemom: Introdução e comentário.* São Paulo: Vida Nova, 1984, p. 153.
[284] BARNES, Albert. *Barnes' Notes on the Old & New Testaments,* p. 291.
[285] MACDONALD, William. *Believer's Bible commentary,* p. 2.147.
[286] BARCLAY, William. *I y II Timoteo, Tito y Filemon,* p. 279.
[287] LIGHTFOOT, J. B. *Philemon* in *The classic Bible commentary.* Wheaton, IL: Crossway Books, 1999, p. 1.438.
[288] NIELSON, John B. *A epístola a Filemom* em *Comentário bíblico Beacon.* Vol. 9. Rio de Janeiro: CPAD, 2006, p. 575.

[289] PEARLMAN, Myer. *Através da Bíblia livro por livro*. Miami, FL, 1987, p. 305.
[290] LANGE, John Peter. *The Epistle of Paul to Philemon* in *Commentary on the Holy Scriptures*. Vol. 11. Grand Rapids, MI: Zondervan Publishing House, 1980, p. 1.
[291] MARTIN, Ralph P. *Colossenses e Filemom*, p. 154.
[292] MARTIN, Ralph P. *Colossenses e Filemom*, p. 162.
[293] LANGE, John Peter. *The Epistle of Paul to Philemon* in *Commentary on the Holy Scripture*, p. 3,4.
[294] LIGHTFOOT, J. B. *Philemon* in *Classic Bible Commentary*, p. 1.438.
[295] BURKI, Hans. *Carta aos Tessalonicenses, Timóteo, Tito e Filemom*, p. 435.
[296] BARCLAY, William. *I y II Timoteo, Tito y Filemon*, p. 280.
[297] O'BRIEN, Peter T. *Philemon* in *New Bible Commentary*, ed. G. J. Wenham et all. Downers Grove, IL: InterVarsity Press, 1994, p. 1.316.
[298] BARCLAY, William. *I y II Timoteo, Tito & Filemon*, p. 280.
[299] BARTON, Bruce B. et all. *Life application Bible commentary on Philippians, Colossians & Philemon*. Wheaton, Illinois: Tyndale House Publishers, 1995, p. 244.
[300] MARTIN, Ralph P. *Colossenses e Filemom*, p. 159.
[301] NIELSON, John B. *A epístola a Filemom* em *Comentário bíblico Beacon*, p. 575,576.
[302] BARTON, Bruce B. et all. *Life application Bible commentary on Philippians, Colossians & Philemon*, p. 245.
[303] MARTIN, Ralph P. *Colossenses e Filemom*, p. 155.
[304] RUPPRECHT, Arthur A. *Philemon* in *Zondervan NIV Bible commentary*. Grand Rapids, MI: Zondervan Publishing House, 1994, p. 936.
[305] BARTON, Bruce B. et all. *Life application Bible commentary on Philippians, Colossians & Philemon*, p. 245.
[306] MACDONALD, William. *Believer's Bible commentary*, p. 2.147.
[307] LIGHTFOOT, J. B. *Philemon* in *Classic Bible commentary*, p. 1.439.
[308] BARCLAY, William. *I y II Timoteo, Tito y Filemon*, p. 281.
[309] MARTIN, Ralph P. *Colossenses e Filemom*, p. 156.
[310] LIGHTFOOT, J. B. *Philemon* in *Classic Bible commentary*, p. 1.439.
[311] PEARLMAN, Myer. *Através da Bíblia livro por livro*. 1987, p. 306,307.

Capítulo 2

Vidas transformadas, relacionamentos restaurados
(Fm 1-25)

O CRISTIANISMO NÃO É APENAS UM sistema de doutrinas; é, sobretudo, relacionamento, com Deus e com o próximo. Essa carta é um manual de relacionamento. Trata de amor, perdão, restituição e reconciliação. Embora essa tenha sido escrita há quase vinte séculos, seus ensinos continuam vivos, atuais e absolutamente oportunos.

Paulo estava preso em Roma, quando o escravo Onésimo, depois de furtar a seu senhor (v. 18), fugiu para Roma, "o esgoto comum de toda a miséria e vício do mundo antigo".[312]

Seu propósito possivelmente era esconder-se no meio da multidão. Em vez de ficar incógnito na capital do império, entrementes, foi parar exatamente na mesma prisão onde estava o veterano apóstolo.

David Stern é da opinião de que Onésimo, o escravo fugitivo, tinha ido procurar refúgio em Paulo, na cidade de Roma, entretanto não se encontrava preso. Caso as autoridades o tivessem capturado, não o teriam encarcerado, mas o devolvido a seu senhor, conforme exigência da lei.[313]

Entre algemas, Paulo o levou a Cristo (v. 10). Imediatamente, o problema pendente veio à tona. Na mesma prisão com Paulo estava Epafras (v. 23), fundador da igreja de Colossos (Cl 1.7), que se reunia na casa de Filemom (v. 2). Certamente, Epafras conhecia pessoalmente Onésimo e sua situação. Embora Onésimo tenha se tornado uma pessoa muito útil a Paulo na prisão (v. 11), servindo-o em suas algemas por causa do evangelho (v. 13), o apóstolo resolve enviá-lo de volta a seu senhor (v. 12).

Por lei, o senhor tinha permissão de executar um escravo que se rebelasse, mas Filemom era cristão e, como tal, estava diante de um dilema: Se perdoasse a Onésimo, o que os outros senhores e escravos pensariam? E, se o castigasse, de que maneira isso afetaria o seu testemunho?[314] Essa carta é escrita para ajudar Filemom a resolver esse dilema.

Paulo expressa seu profundo afeto por Onésimo antes de enviá-lo a Colossos. Diz a Filemom que o escravo, agora convertido, é "[...] o meu próprio coração" (v. 12) e um "[...] irmão caríssimo" (v. 16). Filemom deveria recebê-lo com as mesmas honras que receberia o próprio apóstolo (v. 17).

O remetente da carta (v. 1)

Paulo se apresenta como o autor dessa carta. Há evidências externas e internas que comprovam a sua autoria.[315]

Embora mencione Timóteo num gesto de fidalguia e consideração, a carta é pessoal. Timóteo não é coautor da carta. Paulo escreveu toda a carta na primeira pessoa. Timóteo era como um filho para o velho apóstolo. Tornou-se seu assistente e emissário, viajando com ele e algumas vezes para ele.[316] Paulo não precisa se apresentar como apóstolo, uma vez que escreve para um filho na fé e colaborador.

Bem sabemos que no tempo de Paulo o nome do remetente era colocado no começo da carta e não no fim, como fazemos hoje. Paulo escreveu treze epístolas. Algumas delas foram escritas durante suas viagens e outras ele escreveu da prisão. Algumas cartas foram escritas para resolver problemas existentes nas igrejas, enquanto outras se destinavam a ensinar as doutrinas do glorioso evangelho. Quando sua autoridade apostólica era questionada, Paulo sempre se apresentava como apóstolo. Para seus amigos, Paulo se identificava apenas como servo de Cristo. Nessa carta a Filemom, Paulo apenas se denomina "[...] prisioneiro de Cristo Jesus" (v. 1).

É importante enfatizar que Paulo se identifica como prisioneiro de Cristo Jesus. Ele está preso a Cristo por fé e compromisso, e também preso numa prisão romana por crer em Jesus Cristo e lhe ser leal (At 28.30). "Prisioneiro" indica as condições adversas sob as quais ele trabalha. Levando em conta o propósito da carta – inspirar graça e perdão em Filemom por Onésimo –, as circunstâncias deploráveis de Paulo tornam as dificuldades de Filemom como nada.[317]

Lightfoot é da opinião que Paulo omite a credencial do seu apostolado propositadamente, uma vez que a finalidade dessa carta é solicitar em nome do amor, e não dar ordens (v. 8,9). Como poderia, então, Filemom resistir aos rogos de seu pai espiritual, já velho e encerrado em uma prisão?[318]

Fritz Rienecker diz que a frase "de Cristo Jesus" expressa a quem Paulo pertencia, e indica que a sua carta não deveria ser considerada uma carta particular, mas uma mensagem. Isto obrigaria as pessoas que a recebessem a obedecer-lhe.[319]

João Calvino é da opinião que as cadeias a que Paulo foi atado por causa do Evangelho eram os adornos ou insígnias dessa embaixada que ele desempenhava para Cristo. Por conseguinte, o apóstolo as menciona com o fim de afirmar sua autoridade, não porque tivesse medo de ser desprezado, mas porque ia defender a causa de um escravo fugitivo, e a parte principal da carta era uma súplica de perdão.[320]

Vale destacar que Paulo não atribui sua prisão à perseguição dos judeus ou romanos, nem mesmo à orquestração do diabo. O apóstolo entendia que a soberania de Cristo governava plenamente sua vida. Por isso, olhava para a sua prisão como uma agenda divina, e não como uma maquinação dos homens ou ação maligna. Paulo, de fato, era um embaixador em cadeias. Durante algum tempo do seu ministério ficou preso e teve sua liberdade restringida, mas jamais a Palavra de Deus esteve algemada.

Os destinatários da carta (v. 1,2)

Embora essa carta seja pessoal e particular, não é endereçada exclusivamente a Filemom, mas também à irmã Áfia e a Arquipo, bem como à igreja que estava na casa de Filemom (v. 1,2). A menção de Áfia nessa missiva é importante porque naquela época as mulheres cuidavam dos negócios do lar, e era muito importante que ela soubesse o que Paulo tinha a dizer acerca de Onésimo.[321]

É importante destacar que havia uma igreja que se reunia na casa de Filemom. A palavra grega *ekklesia*, "igreja", usada aqui, refere-se a um grupo de crentes que se reuniam na casa de Filemom para adoração, oração, edificação, exortação, comunhão e comemoração da morte de Cristo (a Ceia do Senhor). Dali eles saíam para servir a Cristo e testemunhar aos outros acerca do evangelho.[322] Ao se reunirem na casa de Filemom, os cristãos eram todos *um* em Cristo. Ricos e pobres, homens e mulheres, senhores e servos. Nessa assembleia dos santos, Filemom não tinha preeminência alguma sobre Onésimo.[323]

Uma vez que o principal destinatário dessa carta é Filemom, vamos destacar alguns aspectos da sua vida:

Em primeiro lugar, *era um dono de escravos*. Filemom era um gentio procedente de Colossos, cidade do vale do Lico, na região da Frígia, na província da Ásia Menor. Era dono de escravos. Devia ter uma condição financeira abastada.

Em segundo lugar, *era filho na fé do apóstolo Paulo*. Embora Paulo não tenha estado em Colossos, exerceu grande influência sobre toda a Ásia Menor por ocasião da sua terceira viagem missionária (At 19.10). Durante seus três anos em Éfeso, capital da província da Ásia Menor, muitas pessoas foram alcançadas pelo evangelho naquela região, dentre elas Filemom.

Esse rico senhor de escravos era filho na fé do apóstolo Paulo (v. 19). Filemom era um cristão exemplar. Ele tinha fé em Jesus (v. 5) e amor para com todos os santos (v. 7). Calvino é da opinião de que esse elogio que Paulo faz a Filemom inclui de forma breve toda a perfeição de um cristão. Esta consiste de duas partes: fé em Cristo e amor ao próximo. A essas duas coisas se relacionam todos os atos e obrigações de nossa vida.[324]

Em terceiro lugar, *era um colaborador do apóstolo Paulo*. Filemom era um colaborador do apóstolo Paulo (v. 1). A palavra grega usada por Paulo, *synergos*, "cooperador", era com frequência empregada para indicar seus companheiros na obra do evangelho.[325] O amor de Filemom era demonstrado a todos os santos (v. 5). O próprio Paulo era alvo do seu abnegado amor (v. 7). Filemom era um bálsamo na vida dos crentes. Ele reanimava o coração dos santos (v. 7). Filemom era um homem hospitaleiro (v. 22). Não apenas seu coração estava aberto para amar os irmãos, mas também sua casa estava a serviço das pessoas.

Em quarto lugar, *era um homem que tinha toda a família comprometida com o evangelho*. Paulo dirige-se não somente a ele, mas também a Áfia, sua mulher, e a Arquipo, seu filho. William MacDonald diz que a maioria dos estudiosos afirma que Áfia era esposa de Filemom. O fato de que essa carta foi endereçada também a uma mulher nos relembra que o cristianismo exalta o gênero feminino.[326]

Devido à ausência de Epafras, preso com Paulo em Roma (v. 23), Arquipo desempenhava a função de pastor da igreja de Colossos (Cl 4.17). Toda a família de Filemom estava envolvida e engajada na obra de Deus. Arquipo era um cossoldado do apóstolo Paulo, ou seja, uma pessoa engajada nas mesmas lutas e conflitos, que enfrentava os mesmos perigos e buscava os mesmos objetivos.[327]

Em quinto lugar, *era um homem que hospedava a igreja em sua casa*. Filemom entregou seu coração a Jesus e sua casa para a igreja de Jesus. A igreja se reunia em sua casa. As portas do seu lar estavam abertas para outras pessoas conhecerem a Cristo e serem edificadas na Palavra. Até o terceiro século as igrejas não tinham templos e se reuniam nos lares.

Na casa de Filemom os crentes de Colossos se reuniam para adorar a Deus, orar ao Senhor, estudar sua Palavra e ter comunhão uns com os outros. Dali é que eles saíam para anunciar o evangelho em Colossos e irradiar sua luz por todo o mundo. O próprio apóstolo Paulo dá testemunho da pujança dessa igreja de Colossos:

> Damos sempre graças a Deus, Pai de nosso Senhor Jesus Cristo, quando oramos por vós, desde que ouvimos da vossa fé em Cristo Jesus e do amor que tendes para com todos os santos; por causa da esperança que vos está preservada nos céus, da qual antes ouvistes pela palavra da verdade do evangelho, que chegou até vós; como também, em todo o mundo, está produzindo fruto e crescendo, tal acontece entre vós, desde o dia em que ouvistes e entendestes a graça de Deus na verdade; segundo fostes instruídos por Epafras, nosso amado conservo e, quanto a vós outros, fiel ministro de Cristo, o qual também nos relatou do vosso amor no Espírito (Cl 1.3-8).

A saudação apostólica (v. 3)

Usando seu estilo comum, Paulo invoca a graça e a paz para Filemom, sua família e a igreja que se reúne em sua casa. A graça é a causa da salvação. A paz é o resultado. A graça é a raiz, e a paz é o fruto. Matthew Henry diz que a graça é a fonte de todas as bênçãos; e a paz é a síntese dessas bênçãos, concedida a nós como fruto e efeito da graça.[328] A graça é o dom imerecido de Deus. É seu amor redentor demonstrado a pecadores culpados. A paz se refere tanto à paz que Cristo fez entre pecadores e Deus por meio de sua morte na cruz como àquele profundo sentimento de segurança mesmo no meio das turbulências da vida.[329] Não há paz sem a graça, e não há graça desprovida da paz.

A fonte tanto da graça quanto da paz é o próprio Deus, Pai e Filho. Não produzimos a graça nem a paz; nós a recebemos tanto do Pai quanto do Filho.

Hans Burki faz uma preciosa síntese dessa carta como segue:

> Após a saudação (v. 1-3) Paulo transita para as ações de graças e a intercessão, nas quais já indica o conteúdo da carta (v. 8-20). O bloco principal é estruturado em quatro partes: recordação de uma boa ação de Filemom (v. 7-9); apresentação da condição transformada de Onésimo (v. 10-12); retrospecto e nova interpretação do acontecido (v. 13-16); pedido a Filemom, para que torne a praticar uma boa ação (v. 17-20). A carta encerra com uma perspectiva confiante para o futuro (v. 21,22), bem como com os votos de saudação e bênção (v. 23-25).[330]

Algumas lições de grande importância devem ser extraídas dessa preciosa carta.

Nunca perca uma oportunidade para elogiar sinceramente as pessoas (v. 4-7)

Paulo é pródigo nos elogios. Era um encorajador ele tinha habilidade no trato com as pessoas. Vamos evidenciar aqui três pontos.

Em primeiro lugar, *Paulo destaca o relacionamento de Filemom com Deus e com os irmãos* (v. 4,5). Paulo agradece a Deus em oração pelo relacionamento de Filemom com Jesus e com os irmãos. Filemom tem fé em Jesus e amor pelos irmãos. Seu relacionamento vertical e horizontal estava correto. Qual foi a última vez que você agradeceu a Deus pela vida de uma pessoa e disse isso para ela? Às vezes, nós só falamos para os irmãos quais são os seus pontos negativos. Devemos ser pródigos no encorajamento!

Em segundo lugar, *Paulo destaca que a fé que Filemom tinha era demonstrada pelas obras* (v. 6). Filemom tinha uma fé operante. Sua fé atuava pelo amor (Gl 5.6). Podemos mostrar nossa fé não apenas pela pregação do evangelho, mas também alimentando os famintos, vestindo os nus, confortando os aflitos, libertando os oprimidos. Filemom deveria demonstrar sua fé perdoando ao escravo fugitivo.[331]

Em terceiro lugar, *Paulo enaltece os efeitos do amor de Filemom na vida das pessoas* (v. 7). Paulo não era daquele tipo de crente que acha que é perigoso fazer elogios sinceros. Diga para as pessoas que elas são uma bênção. Diga que você tem sido abençoado por intermédio da vida delas. Diga que muitos são consolados por intermédio do ministério delas. A casa de Filemom era um oásis.

Sua vida tem sido um refrigério para as pessoas que vivem ao seu redor? Quando as pessoas oram por você, podem fazê-lo com alegria ou sempre com lágrimas?

O amor cristão sempre abençoa as pessoas: demonstra gratidão pelos outros (v. 4); procura o bem dos outros (v. 10); lida honestamente com eles (v. 12); leva o fardo dos outros (v. 18) e crê no melhor das outras pessoas (v. 21).[332]

Nunca você é tão grande como quando você é humilde (v. 1,8,9,14,19)

Dois pontos merecem destaque:

Em primeiro lugar, *Paulo não se apresenta como apóstolo, mas como prisioneiro de Cristo*. Quando Paulo vai interceder por um escravo, coloca-se no nível dele e, em vez de usar sua autoridade de apóstolo, apresenta-se como prisioneiro de Cristo (v. 1) e o velho (v. 9). Quando vai defender a causa de alguém, que o mundo considerava apenas um objeto do seu dono, chama-o de "meu filho" (v. 10), "o meu próprio coração" (v. 12).

Em segundo lugar, *Paulo pede como favor aquilo que poderia ordenar como direito* (v. 8,9). Paulo não usa a autoridade de apóstolo para impor sua vontade a Filemom, mas faz uma solicitação em nome do amor. Se Paulo não tivesse ganhado o coração de Filemom, Onésimo poderia ter tido uma recepção gelada.

Paulo prefere apelar em nome do amor do que ordenar (v. 8,9). Muitas vezes podemos fechar portas em vez de abri-las quando assumimos uma posição autoritária, em vez de uma postura humilde.

Nunca perca a oportunidade de ser um pacificador (v. 7-16)

Paulo usou seis fortes argumentos para apelar a Filemom, a fim de que recebesse com bom grado a Onésimo de volta. Paulo foi um intercessor, um mediador e um pacificador. Foi um construtor de pontes. Temos construído pontes ou cavado abismos entre as pessoas? Vejamos os argumentos usados por Paulo.

Em primeiro lugar, *ele começou com a reputação de Filemom como um homem que abençoava as pessoas* (v. 7,8). As palavras "pois bem" conectam-se com o fato de que Filemom era um homem que reanimava o coração dos santos. Agora, Paulo está lhe dando a oportunidade de refrigerar o próprio coração. Filemom tinha sido uma bênção para muitos crentes, agora deveria ser também para um escravo fugitivo que havia se convertido.

Em segundo lugar, *ele usou a linguagem do amor em vez da autoridade apostólica para sensibilizar Filemom* (v. 9). Paulo era apóstolo, idoso e ainda estava preso. Mas, em vez de ordenar, pede e suplica. Não usa sua autoridade, sua condição nem sua idade para pressionar Filemom. A força da súplica é mais eloquente do que o grito da imposição. A humildade abre mais portas do que a arrogância. A sensibilidade é mais eficaz do que a imposição. Um ditado chinês diz que "pegamos mais moscas com uma gota de mel do que com um barril de fel".

Em terceiro lugar, *ele usou o fato da conversão de Onésimo para mover o coração de Filemom* (v. 10). Onésimo era apenas um escravo ladrão e fugitivo; mas, agora, convertido a Cristo, é filho de Paulo na fé e na mesma fé irmão de Filemom. Em Cristo não há escravo nem livre (Gl 3.28). Isso não significa que, quando uma pessoa é convertida, sua condição social muda; ou que suas dívidas não devam mais ser pagas. O argumento de Paulo é que Onésimo tem uma nova posição diante de Deus e do povo de Deus, e Filemom tem de levar isso em consideração.

A vida de Onésimo pode ser dividida em cinco partes: 1) Na casa de Filemom – sua desonestidade; 2) Em Roma – uma grande cidade de liberdades sem limites e muitas tentações; 3) Sob a influência da pregação de Paulo – um ouvinte e um convertido; 4) Na prisão, como um ajudante de Paulo – sua conversão se prova pelo fato de deixar as más companhias, servir a Paulo e estar pronto a voltar ao seu senhor; 5) Na casa do seu senhor novamente – retorno, reconciliação e alegria.

Em quarto lugar, *ele usou o argumento da mudança na vida de Onésimo* (v. 11-14). Onésimo havia se tornado um escravo inútil para o seu senhor. Além de inútil, ainda furtara seu senhor e fugira, deixando um exemplo negativo para os outros servos. Porém, o evangelho chegou à vida desse escravo e seu coração foi transformado. Seu nome significa "útil" e agora Onésimo já estava à altura desse nome. Agora Onésimo é útil de nome e de caráter.[333] O nome Filemom significa *afeiçoado* ou *aquele que é gentil*. Se o escravo que se tornara inútil agora é útil, não deveria o nome do patrão também fazer jus ao seu significado?

Ralph Martin diz que *Onésimo* era um nome comum para escravos, achado muitas vezes nas inscrições, parcialmente porque um escravo sem nome receberia esse nome de identificação, na esperança de que vivesse à altura do seu nome adotivo no serviço do seu dono.[334]

Paulo poderia ter mantido Onésimo consigo em Roma, mas resolveu devolvê-lo ao seu senhor como alguém útil. O dever vem antes do prazer (v. 13,14). Paulo bem que poderia conservar Onésimo consigo, mas resolveu fazer a coisa certa, mandando-o de volta ao seu senhor. Ser leal a Deus pode, às vezes, exigir que resolvamos fazer aquilo que não desejamos e, pela força da vontade, o que não é nossa inclinação.[335]

O evangelho transforma as pessoas: um inútil numa pessoa útil. Um escravo, num irmão; um ladrão em uma pessoa honesta; um fugitivo em alguém que volta para pedir perdão. Os escravos frígios tinham a má reputação de serem preguiçosos e imprestáveis. De uma maneira, especialmente, Onésimo fora infiel ao seu nome, mas agora é um homem transformado e útil.[336]

A transformação operada em Onésimo lhe dava agora nova inspiração para as antigas tarefas. Sua conversão não o isentou de suas responsabilidades, mas o ajudou a cumprir suas tarefas com uma nova motivação e um novo espírito.[337]

Em quinto lugar, *ele usou o argumento da providência divina* (v. 15,16). Paulo compreende que as circunstâncias podem estar fora do nosso controle, mas não do controle de Deus. Ele demonstra isso de duas maneiras eloquentes. Primeiro, ele mesmo não se considerava prisioneiro de Roma ou de César, mas de Cristo (v. 1). É Cristo quem está no controle da sua vida. Segundo, a fuga de Onésimo estava fora da previsão de Filemom, mas não fora da agenda de Deus (v. 15,16).

Como crentes, devemos crer que Deus está no controle das situações e circunstâncias mais difíceis (Rm 8.28). A fuga de Onésimo não apanhou Deus de surpresa. Deus o levou a Roma para salvá-lo e devolvê-lo como um irmão ao seu senhor. Onésimo foi para Roma como um escravo, mas voltou para a casa de Filemom como um irmão; ele partiu como um homem desonesto e voltou como um homem salvo. Ele se ausentou por pouco tempo e retornou para estar com Filemom o tempo todo e por toda a eternidade.[338] Os planos de Deus não podem ser frustrados.

Em sexto lugar, *ele usou o argumento de seu profundo afeto por Onésimo* (v. 12). "Eu to envio de volta em pessoa, quero dizer, o meu próprio coração." Paulo pede que Onésimo seja recebido como se fosse seu filho (v. 10). Paulo não vê Onésimo como um escravo, mas como um irmão caríssimo (v. 16). Receber Onésimo era a mesma coisa que receber o próprio Paulo (v. 17). O termo "receber" (v. 17) significa "receber no seu círculo familiar". Imagine um escravo ser aceito na família de seu senhor! Mais maravilhoso ainda é um pecador perdido ser aceito na família de Deus.[339]

Nunca desista de ver o poder do evangelho prevalecendo na vida das pessoas (v. 17-25)

Neste aspecto, destacamos cinco pontos:

Em primeiro lugar, *precisamos aprender que não existem pessoas mais importantes que outras* (v. 17). Paulo, o apóstolo de Cristo, roga para que Filemom receba o escravo convertido como se fosse ele mesmo. Isso quer dizer que não existe uma pessoa mais importante do que outra na igreja de Deus. Somos todos iguais. Somos todos companheiros de jornada.

Erlo Stegen, missionário entre os zulus, na África do Sul, relata uma experiência vivida numa cultura marcada pelo preconceito racial. Ao receber algumas autoridades sul-africanas na sede de sua misão, ficou com vergonha de reunir-se àquelas ilustres personalidades perto dos negros zulus.

Furtivamente, fechou a janela para que as autoridades não vissem os negros associados a ele. Imediatamente o Espírito de Deus gerou em seu coração uma profunda convicção de pecado e ele entendeu que, se fechasse aquela janela, o próprio Deus ficaria do lado de fora. Foi somente depois que as barreiras do racismo caíram por terra que a Missão Kwa Sizabantu experimentou um poderoso avivamento espiritual.

Em segundo lugar, *precisamos aprender a nos identificar com as falhas das pessoas* (v. 18,19). Paulo pediu a Filemom para receber a Onésimo como "[...] o meu [Paulo] próprio coração" (v. 12).

Onésimo possivelmente havia furtado ou desviado dinheiro ou bens do seu senhor. Paulo estava pronto a colocar a dívida de Onésimo em sua conta (v. 18,19).

Paulo estava assumindo a responsabilidade por tudo quanto Onésimo devia. A suposição subjacente é que Paulo conhecia a lei mediante a qual uma pessoa que dá guarida a um escravo fugitivo ficava devendo ao dono o valor da perda de trabalho envolvida na deserção do escravo.[340]

Isso é profunda identificação. Precisamos ter compaixão pelos que erram. O cristianismo transforma o pior escravo no melhor dos homens livres.

Essa identificação é uma ilustração do que Jesus fez por nós. Lutero disse que todos nós somos *Onésimos*. Jesus se identificou de tal forma conosco que o Pai nos recebe como ao próprio Filho. Somos aceitos no Amado (Ef 2.6). Fomos vestidos com sua justiça (2Co 5.21). A palavra "recebe-o" no versículo 17 é receber dentro do círculo familiar.

Imagine um escravo entrando dentro do círculo familiar do seu senhor. Imagine um pecador entrando na família de Deus!

Paulo não sugere que Filemom ignore os crimes de Onésimo. Mas se oferece para pagar sua dívida. A linguagem do versículo 19 soa como uma nota promissória legal. Não bastou o amor de Deus para nos salvar. Ele nos salvou por sua graça. E graça é amor que paga um preço! Ele pagou a nossa dívida. Isso é a doutrina da imputação.

Cristo morreu na cruz e nossos pecados foram lançados sobre ele (1Pe 2.24). Quando confiamos nele, sua justiça é lançada sobre nós. Então, Deus nos recebe como recebe ao seu Filho.[341]

Em terceiro lugar, *precisamos exercitar tanto a restituição quanto o perdão* (v. 12,17-20). Uma pessoa convertida tem uma profunda transformação no seu caráter. Uma pessoa convertida não pode mais ser caloteira. Ela assume suas responsabilidades. Ela faz restituição. Paulo restitui Onésimo e está pronto a restituir o dinheiro que Onésimo furtou. Concordo com Myer Pearlman quando diz que a conversão é motivo forte para pagar as dívidas, guardar as promessas, ser diligente nas suas ocupações e fazer restituição por quaisquer maus atos praticados antes.[342]

Contudo, embora Paulo esteja pronto a pagar a dívida, encoraja Filemom a perdoar. O perdão é a marca de um verdadeiro cristão. Perdoar é cancelar a dívida, é não cobrá-la mais. É deixar a outra pessoa livre e ficar livre.

Aqui temos também um exemplo vivo de uma das grandes doutrinas do cristianismo, a doutrina da imputação (v. 18). Nossa dívida não foi colocada em nossa conta (2Co 5.19). Em vez disso, foi colocada na conta de Cristo (2Co 5.21). O Filho de Deus, então, como nosso fiador e representante, pagou nossa dívida com o próprio sangue (Cl 2.14). Imediatamente, foi creditada em nossa conta a infinita justiça de Cristo (2Co 5.21b). Cristo pagou o preço da nossa redenção. Fomos justificados e nenhuma condenação pesa mais sobre nós (Rm 8.1). É como se jamais tivéssemos pecado. Ficamos completamente quites diante da lei e da justiça divina.

Em quarto lugar, *precisamos aprender sobre o glorioso poder de Jesus para salvar* (v. 10). Jesus apanha um escravo fugitivo e faz dele um homem livre, santo, salvo, útil. Não há caso perdido para Jesus. Não devemos desistir de pregar nem de esperar a transformação das pessoas. Jesus ainda continua transformando escravos em homens livres. O evangelho transforma um ladrão em um irmão.

Em quinto lugar, *precisamos compreender que uma pessoa convertida se torna uma pessoa útil nas mãos de Deus* (v. 11). Uma pessoa convertida precisa ser uma bênção. Ela tem uma transformação radical na vida. Ela não é mais a mesma. Suas palavras mudam. Sua conduta muda. Suas atitudes mudam. Antes era um problema, agora é uma bênção. Uma pessoa convertida é uma bênção permanente (v. 15).

Paulo termina a carta com ensinos ainda mui preciosos: *Quando se faz as coisas do jeito de Deus, os resultados sempre transcendem as expectativas* (v. 21). Embora Paulo não tenha combatido frontalmente o regime da escravidão, admoestou tanto os servos quanto os seus senhores a serem íntegros (Ef 6.5-9; Cl 3.22–4.1; 1Tm 6.1,2; Tt 2.9,10). Paulo, outrossim, encorajou os escravos cristãos a obter sua liberdade quando possível (1Co 7.21-24). Mesmo não conseguindo a alforria, em Cristo eram livres.

Nessa carta Paulo solicita a Filemom mais do que simplesmente perdoar Onésimo; pede que ele receba Onésimo como um irmão caríssimo. É consenso quase unânime que Paulo rogou a Filemom para alforriar Onésimo. A tradição declara que Onésimo recebeu a sua libertação e mais tarde veio a ser bispo da igreja de Bereia.[343]

Warren Wiersbe diz que, se os primeiros cristãos tivessem começado campanhas contra a escravidão, teriam sido exterminados pela oposição, e a mensagem do evangelho se confundiria com uma plataforma social e política.[344]

Alexander MacLaren nos oferece uma oportuna explicação para essa delicada questão:

> Em primeiro lugar, a mensagem do cristianismo é dirigida, principalmente, a indivíduos e, apenas de modo secundário, à sociedade. Deixa ao encargo das unidades que influenciou o trabalho de influenciar as massas. Em segundo lugar, atua sobre atitudes espirituais e morais e, somente depois disso e em decorrência de tais atitudes, sobre atos ou instituições. Em terceiro lugar, essa mensagem abomina a violência e confia inteiramente na consciência esclarecida. Assim, não se envolve diretamente com nenhuma estrutura política ou social, mas declara princípios que afetam profundamente tais estruturas e instila seus princípios na consciência geral.[345]

Tudo o que Deus faz, o faz por meio da intercessão do seu povo (v. 22). Paulo entende que só Deus pode libertá-lo da prisão, mas o Senhor fará isso por intermédio das orações da igreja. O altar está conectado com o trono. Quando a igreja ora, ela move o braço daquele que governa o mundo. Quando o homem trabalha, o homem trabalha; mas quando o homem ora, Deus trabalha!

Jamais deixe de valorizar as pessoas que estão ao seu lado (v. 23,24). Paulo destaca na conclusão dessa carta vários irmãos:

Epafras. Paulo envia a Filemom as saudações de Epafras, que estava preso com ele em Roma. O apóstolo destaca esse homem por sua dedicação a Cristo, a Paulo e ao evangelho. Nas horas mais difíceis do apóstolo Paulo, Epafras estava do seu lado.

Marcos. João Marcos, que estava com Paulo (Cl 4.10), era o rapaz que o abandonara na primeira viagem missionária (At 12.12,25; 15.36-41). Paulo havia perdoado a Marcos e era grato pelo seu ministério fiel (2Tm 4.11). Esse Marcos é o primo de Barnabé e escritor do segundo evangelho.

Aristarco. Aristarco era de Tessalônica e acompanhou Paulo a Jerusalém e, depois, a Roma (At 19.29; 27.2).

Demas. Demas é mencionado três vezes nas cartas de Paulo: "Demas e Lucas, meus cooperadores" (Fm 24); "Saúda-vos [...] Demas" (Cl 4.14); "Porque Demas, tendo amado o presente século, me abandonou" (2Tm 4.10). João Marcos falhou, mas foi restaurado. Demas parecia ir bem, mas caiu.[346]

Lucas. Certamente é o "[...] médico amado" (Cl 4.14) que acompanhou Paulo, ministrou ao apóstolo e, por fim, escreveu o Evangelho de Lucas e o livro de Atos.

A graça deve estar presente desde o começo até o fim da nossa vida (v. 3,25). Paulo termina a carta como começou, com a graça do Senhor Jesus Cristo. Por ela fomos salvos, por ela vivemos e por ela entraremos no céu.

Notas do capítulo 2

312 PEARLMAN, Myer. *Comentário bíblico: Epístolas paulinas*. 1999, p. 221.
313 STERN, David H. *Comentário judaico do Novo Testamento*. São Paulo: Atos 2008, p. 717.
314 WIERSBE, Warren W. *Comentário bíblico expositivo*, p. 350.
315 Confira esse fato no capítulo anterior.
316 BARTON, Bruce B. et all. *Life application Bible commentary*, p. 250.
317 NIELSON, John B. *A epístola a Filemom* em *Comentário bíblico Beacon*, p. 578.
318 LIGHTFOOT, J. B. *Philemon* in *The classic Bible commentary*, p. 1.440.
319 RIENECKER, Fritz; ROGERS, Cleon. *Chave linguística do Novo Testamento Grego*, p. 488.
320 CALVINO, Juan. *Comentarios a las epístolas pastorales de San Pablo*, p. 402.
321 RIENECKER, Fritz e ROGERS, Cleon. *Chave linguística do Novo Testamento Grego*. 1985, p. 488.
322 BORLAND, James A. *The Epistle to Philemon* in *The complete Bible commentary*. Nashville, TN: Thomas Nelson Pusblishers, 1999, p. 1.666.
323 MACDONALD, William. *Believer's Bible commentary*. 1995, p. 2.149.
324 CALVINO, Juan. *Comentarios a las epístolas pastorales de San Pablo*, p. 403.
325 RIENECKER, Fritz; ROGERS, Cleon. *Chave linguística do Novo Testamento Grego*, p. 488.
326 MACDONALD, William. *Believer's Bible commentary*, p. 2.148.
327 RIENECKER, Fritz; ROGERS, Cleon. *Chave linguística do Novo Testamento Grego*, p. 488.
328 HENRY, Matthew. *Matthew Henry's commentary*. Grand Rapids, MI: Marshall, Morgan & Scott: 1960, p. 1.907.
329 BARTON, Bruce B. et all. *Life application Bible commentary*, p. 252.
330 BURKI, Hans. *Carta aos Tessalonicenses, Timóteo, Tito e Filemom*, p. 435.
331 MACDONALD, William. *Believer's Bible commentary*, p. 2.149.
332 *Notas e comentários da Bíblia de Genebra*, versão New King James.
333 PEARLMAN, Myer. *Comentário bíblico: Epístolas paulinas*. Rio de Janeiro: CPAD, 1999, p. 224.
334 MARTIN, Ralph P. *Colossenses e Filemom: Introdução e comentário*. 1984, p. 170.

[335] PEARLMAN, Myer. *Comentário bíblico: Epístolas paulinas*, p. 228.
[336] MARTIN, Ralph P. *Colossenses e Filemom: Introdução e comentário*, p. 171.
[337] PEARLMAN, Myer. *Comentário bíblico: Epístolas paulinas*, p. 229.
[338] LIGHTFOOT, J. B. *Philemon* in *The classic Bible commentary*, p. 1.441.
[339] WIERSBE, Warren W. *Comentário bíblico expositivo*, p. 352.
[340] MARTIN, Ralph P. *Colossenses e Filemom: Introdução e comentário*, p. 173.
[341] WIERSBE, Warren W. *Comentário bíblico expositivo*, p. 352.
[342] PEARLMAN, Myer. *Comentário bíblico: Epístolas paulinas*, p. 230.
[343] PEARLMAN, Myer. *Comentário bíblico: Epístolas paulinas*, p. 225.
[344] WIERSBE, Warren W. *Comentário bíblico expositivo*, p. 353.
[345] MACLAREN, Alexander. *The expositor's Bible*. Vol. 6. Grand Rapids: Wm. Eerdmans, 1940, p. 301.
[346] WIERSBE, Warren W. *Comentário bíblico expositivo*, p. 354.

Sua opinião é importante para nós. Por gentileza, envie seus comentários pelo e-mail editorial@hagnos.com.br

Visite nosso site: www.hagnos.com.br

Esta obra foi impressa na Imprensa da Fé.
São Paulo, Brasil.
Verão de 2021.